KIJK OP
NEDERLAND

OVERIJSSEL

KIJK OP
NEDERLAND

OVERIJSSEL

onder redactie van TOM BOUWS

VIERDE DRUK

MCMLXXVIII
ELSEVIER-AMSTERDAM-BRUSSEL

Samenstelling REDACTIE TIRION B.V.

Fotografie KEES SCHERER (INLEIDING), M.J.M. DE VRIES,
A.A.M. VAN DER HEYDEN

Tekst W. BOXMA (INLEIDING), TOM BOUWS

Bureauredactie J. MEIJER, L. BOM
Vormgeving CHR. VAN HAERLEM
Produktie F. VESTERS
Lithografie ART COLOR OFFSET
Drukken en binden FABRIEKEN BREPOLS, TURNHOUT

*De uitgever betuigt zijn dank aan de gemeentes die bij de totstandkoming van
deze uitgave medewerking verleenden door het verstrekken van gegevens en het
controleren van tekst en afbeeldingen.*

© MCMLXXVI TIRION B.V., Amsterdam
D/MCMLXXVIII/0199/369 ISBN 90 10 01557 2
ISBN 90 10 01649 8 (Complete serie)
Deze uitgave is verzorgd door B.V. Uitgeversmaatschappij Elsevier Focus.

INHOUD

TEN GELEIDE

Overijssel is een provincie met vele onderlinge verschillen en tegenstellingen, of zoals een buitenlands journalist na een zwerftocht door Overijssel opmerkte: 'het verschil tussen Enschede en Kampen is minstens zo groot als tussen Sevilla en Dublin'. Een eenvoudig dorp met een mooie kerkbrink is minstens zo bepalend voor het gezicht van Overijssel als de rijkdom van een stad als Deventer of Zwolle. Overijssel heeft veel te bieden, van de prehistorie tot in onze tijd. Een sterk wisselende bodemsamenstelling van veen tot zand heeft er het leven sterk beïnvloed. Dan was Overijssel eeuwenlang strijdgebied, was het als 'oversticht' leenplichtig aan de bisschoppen van Utrecht, die zich altijd te weer moesten stellen tegen opstandige boeren uit het noorden, aan gevaren uit het Bentheimse land, of de dreiging van Gelderse hertogen. In talrijke kastelen is dat defensieve karakter terug te vinden; ze tekenen Overijssel, waar de Hanze invloed had, waar steden elkaar bevochten, waar Hollandse garnizoenen hun stempel op het stedelijk leven drukten. Welvaart en armoede wisselden elkaar af en elke periode liet sporen achter. Wellicht ook daardoor is Overijssel een provincie die altijd open was voor nieuwe ideeën en snel met de tijd meeging. Twenthe is daar een voorbeeld van, maar ook het jonge land van de tot meer geworden Zuiderzee.
In 'Kijk op Overijssel' is dit bonte levensverhaal in woord en beeld geschetst. De afbeelding presenteert wat boeiend is in de provincie, de tekst geeft – uiteraard beknopt door de omvang van het illustratiemateriaal – daarbij een aanvulling.

W. Boxma

Overijssel

stille schoonheid
van
goede gronden

'Vrugtbaare Koornlanden' en stille heidevelden

Primitieve wapens en werktuigen, aardewerkscherven, zelfs een bij Hengelo gevonden mensenschedel, geven aanleiding te veronderstellen dat vijftigduizend jaar geleden al mensen in Overijssel hebben gewoond. Sindsdien zijn andere volkeren gekomen en verdwenen, in tijdvakken die worden aangeduid als Steen-, Brons- en IJzertijdperk.

Een paar honderd jaar voor Christus drongen Germaanse stammen van het oosten uit het gewest binnen. De Tubanters vestigden zich op en nabij de Overijsselse heuvelrug, later ook in het gebied dat nu als Twenthe bekend staat. Beslissend voor het karakter van de Overijsselse bevolking is de komst, eveneens uit het oosten, van de Saksen geweest tijdens de eerste jaren van onze jaartelling. Ze stichtten hun nederzettingen tot langs de IJssel en bepaalden de voertaal, de wijze van boerderijbouw, de volksgebruiken en de aard van het eigenlijke volk van Overijssel. Veel daarvan is tot op de dag van vandaag in deze provincie nog steeds terug te vinden.

Herhaaldelijk terugkerende oorlogen tussen de Saksen en de naburige Franken vielen aan het eind van de achtste eeuw in het voordeel van de Franken uit. De Franken nestelden zich in het gebied beoosten de IJssel. Karel de Grote en ook de hem opvolgende Frankische vorsten gaven veel steun aan de evangeliepredikers. Vooral de Bisschop van Utrecht

Aan de gevel van het Oude Raadhuis (1543), aan weerszij van de ijzeren schandkooi, kijken zes beelden op de Kampenaren neer.

profiteerde daarvan en in het midden van de elfde eeuw kon deze kerkvader zich met recht een leenman noemen over een gebied, dat de naam Nedersticht droeg. Het duurde niet lang of de macht van de bisschop overschreed de IJssel; Salland, stad Deventer, het land van Vollenhove en Twenthe – samen het Oversticht vormend – vielen onder zijn grafelijke bestuur.

Toen – vooral na het Concordaat van Worms in 1122 - de Utrechtse bisschop-leenman niet meer rekenen kon op de steun van de keizer, stortten de Hollandse graven zich op het Oversticht. In 1524 werd Karel de Vijfde Heer van Overijssel. Oorspronkelijk deelde de Spaanse koning het bestuur van het gewest met de Ridderschap en de Steden, maar al spoedig liet zich zijn streven naar alleenheerschappij gelden. Datzelfde streven had zijn zoon Philips de Tweede, tot in 1581 – de afzwering van de koning – het centrale gezag in het Oversticht alleen aan de Ridderschap en de Steden kwam.

Opkomst der steden

Het waren, naast de edelen, in feite de steden Deventer, Zwolle en Kampen die – rijk geworden in de handel op Noord- en Zuid-Europa – een belangrijke rol in het bestuur speelden; de andere zeventien Overijsselse stadjes hadden zo goed als niets in de melk te brokkelen. Hoewel de drie steden aan de IJssel in de vijftiende eeuw reeds tekenen

HET WAPEN VAN OVERIJSSEL,

een gouden veld met in het midden een horizontaal gegolfde balk in blauw die de rivier de IJssel bedoelt te symboliseren en het eigen karakter van deze provincie daardoor een extra accent geeft. Over alles heen is de in rood uitgevoerde Hollandse leeuw, met blauwe tong en klauwen, aangebracht.

DE OVERIJSSELSE VLAG

bestaat uit vijf horizontale banen (rood, geel, blauw, geel, rood). Ook hier fungeert de gegolfde blauwe baan als symbool van de IJssel.

Het oudst bekende type van de Saksische boerderij is het 'los hoes', dat hier en daar nog in Twenthe staat. De boerentimmerman bouwde dit vakwerkhuis alleen van materiaal dat in de natuur voorhanden was; er kwam dan ook geen spijker aan te pas. Gezin en vee woonden er veelal in één ruimte genoeglijk in samen.

van verval begonnen te vertonen, zouden zij eerst in de negentiende eeuw door de opkomst van de Twentse textielindustrie door Enschede en Hengelo worden overvleugeld.

Tijdens de Tachtigjarige Oorlog raakte Overijssel onder Spaanse heerschappij, doch in 1597 werd het toch weer door prins Maurits veroverd. In het rampjaar 1672 was Overijssel een geliefd doelwit van Bernard (Bommen-Berend) van Galen, bisschop van Munster, en van Willem Fürstenberg, de bevelhebber van Keulen. Zelfs de steden aan de IJssel werden door de vijandelijke troepen bezet. In 1674 mocht het gewest zich weer onder het gezag van stadhouder Willem III scharen. In 1805 werd Overijssel ten slotte een afzonderlijke provincie, met Zwolle als hoofdstad, nadat het vanaf 1798 nog samen met delen van Friesland en Groningen en verder met Drenthe en de Noord-Veluwe in een departement Oude IJssel ondergebracht was geweest.

Dat was Overijssels geschiedenis-in-een-notedop. Er zal ook iets gezegd moeten worden over het landschap van dit gewest ten tijde van het eind van de achttiende, begin negentiende eeuw.

Hoe mooi was Overijssel?

'Bijkans allerlei Grond ontmoet men in dit Gewest: vrugtbaare Koorn- en Weilanden, Moerassen en Heidevelden', rapporteert in 1790 Jacobus Kok van Overijssel in zijn *Nederlandsch Woordenboek*. Een halve eeuw later brengt Van der Aa in zijn *Aardrijkskundig Woordenboek der Nederlanden* enig cijfermateriaal aan. In die goeie oude tijd omvatte Overijssel globaal 338 000 bunder. Daarvan kon bijna 205 000 bunder worden aangemerkt als 'bebouwde gronden'. Grote en 'andere' wegen, straten, pleinen, wallen en 'wandelingen' namen om en nabij 3200 bunder in. Ruim 3400 bunder werd in beslag genomen door wateren, rivieren, beken, meren, grachten, vijvers, moerassen en wat meer onder de noe-

mer 'nat' kon worden ondergebracht. Het restant van de provincie – meer dan 125 000 bunder – heette zonder meer 'woest', waaronder verstaan dienden te worden heidegronden, zandverstuivingen, zee- en rivierstranden, duinen, riet-, geest- en bieslanden enzovoorts.

Ziedaar het beeld van een stukje Nederland, ruwweg begrensd door IJssel, Zuiderzee, Vecht, Dinkel en Schipbeek, dat in de vorige eeuw 198 000 Overijsselse 'zielen' als leefruimte ter beschikking stond. Het mag de mens van nu als een dorado in de oren klinken, in die dagen zullen slechts weinigen dit gewest met zoveel landschappelijke variatie bewust als 'mooi' hebben ervaren. De meeste mensen hadden wel andere zorgen aan hun hoofd en begrippen als toerisme, recreatie, vakantie – om van vakantiegeld maar niet te spreken – waren nog niet uitgevonden. Tot de kleine bevoorrechte groep, die Overijssel zowel als een bron van arbeid als van genot mocht beleven, behoorde de bekende geoloog en landbouwkundige Staring. Deze dichterzoon stak zijn bewondering voor het schoon dat hij zag niet onder stoelen of banken. Wijzend op bomen, struiken, heide, varens en vossebedden, oprijzend uit een ellendikke veenbodem, meldt hij ons: 'Nergens in ons land is zo duidelijk waar te nemen hoe bos in veen verandert.'

Vast staat dus wel dat Overijssel een eeuw geleden als een unieke provincie gold. Twenthe bijvoorbeeld bestond – bij wijze van spreken – uit één heideveld. De drie grote steden langs de IJssel, het gebied rondom Vollenhove en misschien ook Salland maakten wellicht een andere indruk, maar de rest van Overijssel was één grote wildernis, waarin – volgens berichtgever Kops – de dorpen 'van eenen hoogen berg

De Lemelerberg biedt niet alleen boeiende vergezichten: op de uitgestrekte heide op deze berg pronken de statige jeneverbessen.

De Noordoostpolder is zo jong, dat zelfs het kleinste historische gegeven te boek staat: 29 april 1936 eerste werk aanbesteed, 13 december 1940 Noordoostpolderdijk gesloten, 7 januari 1941 begin van de bemaling, 8 oktober 1941 eerste rogge gezaaid, 16 maart 1942 eerste huwelijk voltrokken, 10 augustus 1942 eerste kind geboren, 1 december 1942 eerste boerderij betrokken, 15 december 1943 eerste woning bewoond, 26 augustus 1946 eerste kleuterschool gereed, enzovoorts, enzovoorts.

bezien' te vergelijken waren met 'zeekere eilanden in het midden van een zee van woestijnen'.

Sindsdien is er in Overijssel wel het een en ander veranderd. Ontginningen, verveningen, wegenaanleg, ruilverkaveling, industrievestiging, huizenbouw en ga maar door hebben niet alleen geknaagd aan de woeste gronden, ze deden ook aanvallen op de akkers en weiden. In de steden en stadjes ging niet zelden de gemoedelijke sfeer verloren, oude stadskernen kregen het karakter van openluchtmusea tussen 'agglomeraties', dorpen hielden op eilanden te zijn in zeeën van woestijnen en verdronken tussen complexen 'hoog- en laagbouw'. Weliswaar kreeg Overijssel er 48 000 bunder uit de voormalige Zuiderzee bijgepompt, daartegenover staat dat nu zo'n 900 000 inwoners om een plekje werk- en levensruimte vragen.

Is Overijssel nog mooi?

Gelukkig wel. Overijssel is nóg mooi, maar zijn schoonheid is – minder misschien dan in de tijd van Kok, Van der Aa en Staring – alleen weggelegd voor hem of haar die haar ook ontdekken wil. Vele stukken van het oude landschap bleven gelukkig gespaard en werden ook voor aantasting in de toekomst behoed, alle dreiging van 'plattelandsconstructies' ten spijt. De historieminnaar slaat vaak de schrik om het hart bij aangekondigde 'stadssaneringen'; toch brachten deze niet zelden – heel duidelijk bijvoorbeeld in Zwolle en Deventer – onvermoede juweeltjes van monumenten uit het verleden aan het licht, waardoor juist iets meer van de rijke middeleeuwse sfeer ging herleven. En al werd bij een inpoldering hier en daar misschien wat al te veel van de tekentafel gewerkt en scheen de vrees voor een 'cultuursteppe' niet ongegrond, de ruimte en de natuur bleken vaak ongevraagd en onbezoldigd mee te willen spelen en maakten van het nieuwe land toch weer iets aantrekkelijks.

Overijssel is nog altijd mooi. Mooi is het door zijn rijkdom aan natuur, mooi ook door hetgeen voorouders in de steden en op het platteland aan tastbare herinneringen aan hun leven en werken nalieten. Overijssel is vooral mooi – liever gezegd: boeiend – vanwege de afwisseling, die de landstreken, de steden en de dorpen bij voortduring bieden. De Noordwesthoek is anders dan Twenthe, op het Kampereiland is het anders dan op De Krim, langs het Zwarte Water is het anders dan langs de Dinkel, Steenwijk is niet te vergelijken met Vriezenveen en de oorspronkelijk grote westelijke drie – Deventer, Zwolle, Kampen – beleeft men heel anders dan het oostelijke rijtje Almelo, Hengelo, Enschede. 'Het verschil tussen Enschede en Kampen', heeft ergens een reizend buitenlands verslaggever opgetekend, 'is minstens zo groot als tussen Sevilla en Dublin'...

De drie ouden aan 'de driftige'

't Is tijd nu op·pad te gaan en het mooie van Overijssel te ontdekken. Komende van het westen, via de Veluwe, is het aantrekkelijker de provincie nu eens niet binnen te vallen over de autowegen, die niet meer naar oude trant 'benoemd' worden, maar – hoe saai – worden aangeduid met een lettertje en een cijfertje. Daarom Overijssel benaderd door middel van het veer, zoals reizigers dat eeuwen lang hebben gedaan; wie het 'Oversticht' vanuit het westen wilde betreden, heeft altijd de IJssel via de pont moeten 'nemen'. Van de vele IJsselveren van weleer zijn er twee overgebleven : die tussen Veessen en Wijhe en die tussen Welsum en Olst. De veerpont biedt de unieke gelegenheid de 'driftige rivier' te proeven. Midden op het wijde vaarwater kun je dromen wat je maar dromen wilt, je van alles bevrijd voelen, de schippers groeten, de landen raden die de wolken boven je steeds opnieuw vormen.

In Wijhe of Olst staat de reiziger in de IJsselstreek. Of IJsselvallei, dat klinkt misschien mooier. Langs de rivier strekt zich een rand van weiden en boomgaarden uit. 'Waterdicht sterk, klinkklaar licht,' heeft de dichter Van der Graft van deze streek gezegd, 'de weiden zijn er groen en doorzichtig'. Rondom elk botervet stuk wei ligt een bewaking van zwaar geboomte. Zoals elke rivier van goeden huize kent ook de IJssel aan zijn oevers buitenplaatsen; bij Diepenveen bijvoorbeeld staan er vele bij elkaar.

De IJssel is, zo lang er mensen langs zijn boorden hebben gewoond, een begeerde waterweg geweest. Zij bood immers uittocht naar vergelegen zeeën en landen; het was daarom niet toevallig dat erlangs ontstane nederzettingen uitgroeiden tot steden, die zich zelfs internationaal lieten gelden. Twee vlijen er zich hecht tegenaan, alsof ze de rivier koesteren willen en haar zelfs voor een overmacht niet uit han-

De Noordwesthoek is het waterland van Overijssel; meren, wieden, sloten en weilanden bieden vogels en planten de nodige rust.

den willen geven. Zwolle heeft er met een zekere bescheidenheid een beetje afstand van genomen; tot voor kort was de stad er met een kanaal mee verbonden ; Zwolle is in feite ook een stad van het Zwarte Water.

Deventer, koek- en Hanzestad

Deventer is de meest bejaarde van de grote drie in West-Overijssel. Zijn stichting zou teruggaan tot het jaar 768; sedertdien bracht het verschillende grote mannen en een ontelbaar aantal koeken voort, vandaar 'koekstad'. Deventer kooplui en kapiteins kwamen, vooral door de aansluiting bij de Hanze, overal in Zuid- en Noord-Europa. Vanwege de laatste bestemming zouden ze nog altijd voor 'stokvissen'

Een sfeervol hoekje bij de Muntentoren in Deventer.

worden gehouden. Het goud, in die eeuwen van voorspoed gebeurd, werd wijs belegd. Op dermate lange termijn, dat er nu nog met volle teugen van kan worden genoten.
Daar staat de Grote Kerk van 1046, ook Sint-Lebuinuskerk geheten, waarvan de massieve met koepel gedekte toren de reiziger reeds van ver attendeert: hier is Deventer! In de Broederenstraat staat de Broederenkerk, in 1335 een onvervreemdbaar deel van het verdwenen Minderbroederklooster waarin een man als Geert Groote de passie heeft gepreekt. In het Bergkwartier beleeft de Sint-Nicolaas- of Bergkerk haar ouderdom. Gebouwd in 1206 was deze van oorsprong Romaanse basiliek de bedeplaats voor de zeevaarders; de

overeenkomst qua stijl met de kerken in de landen om de Oostzee is daarom niet merkwaardig.
Het Bergkerkplein is overigens een schilderachtige plek. Het hart van de stad klopt op de Brink, waar de Waag sinds 1528 zijn trap- en hangtorens opzet om de gunst van de voorbijganger te winnen. Op het Grote Kerkhof houdt ook het Stadhuis zijn stand op in Bentheimer zandsteen; elk jaar werd er een verfraaiing aan toegevoegd: de bakstenen zijgevel bijvoorbeeld is van 1776. En tussen die monumentale bouwsels schuilen de talrijke gevels: 'de Drie Haringen' achter de Waag, het Landhuis naast het Stadhuis, het Penninckshuis, het Brouwershuis en vele andere.

Zwolle een burgermanswoning?

Wie Deventer heeft gezien en de IJssel volgt, kan aanleggen in Kampen. Maar dat zou voorbijgaan aan Zwolle betekenen. Nu de Peperbus in zicht komt, herleeft het rijmpje waarin de stad aan de voet van deze karakteristieke toren zo raak werd getypeerd:

> 'Zwolle met ow mooie grachten,
> Met ow wallen en plantsoen,
> Met ow zeuvenhonderd jóeren
> Bi'j zoo frisch nog as een hoen.
> En de olde Pèperbusse
> Kent ook al zien ni'je tied,
> Zien beide wiezers bint verlicht now
> Zoo da'j em in de verte ziet.
> Och, d'r bint wel grooter plaasen
> Maar of die zoo mooi ook bint?
> Misschien, Zwolle, veur een vremde
> Maar niet veur ow eigen kind.'

Zwolle, genoemd al in 1046, mag er in de jaren zeventig

De uithangborden aan de historische gebouwen dragen bij tot de charme van Deventer, een van de drie steden aan de IJssel.

van deze eeuw nog best wezen, haar binnenstad ís mooi, alle andere 'grooter plaasen' ten spijt. Een stad met een eigen, misschien wat burgerlijk-hoofdstedelijke sfeer. Zwolle lijkt trouwens wat op een burgermanswoning: de voortuin – het Engelse Werk – aan de IJsselkant, keurig onderhouden om de voorbijganger maar van zijn degelijkheid te overtuigen, en achter langs het Zwarte Water een rommelerf, waar flarden hangen van olie, pek en taan en waar het Hopmanshuis een opknapbeurt behoeft.

Zwolle, stad van Johan Cele, van Thomas à Kempis, van Bartjens. Wat de laatste betreft: het rekenen heeft de Zwollenaren kennelijk van jongsaf in het bloed gezeten, en dan naar zich toe uiteraard. Ze hielden de bijnaam 'blauwvingers' over toen ze de aan Kampen verkochte vals-gevallen klokken uit de afgebrande toren van de Grote of Sint-Michaelskerk met louter kleingeld betaald kregen. De kerk kreeg nimmer een nieuwe toren aangebouwd, maar dat heeft nooit afbreuk gedaan aan de waardige schoonheid van dit monumentale pronkstuk aan de Grote Markt. De driebeukige hallenkerk, met de daartegenaan gebouwde sierlijke Hoofdwacht, dateert al van de veertiende eeuw.

De 'pèperbusse' – kon Zwolles 'handelsmerk' raker worden getypeerd ? – blijkt te behoren tot de Onze-Lieve-Vrouwekerk, die in 1463 een laatgotische stijl meekreeg. Ook Zwolle heeft in de middeleeuwen een periode van bloei gekend en hield daaruit het een en ander over. De Bethlehemkerk, restant van het gelijknamige, echter verdwenen klooster, draagt reliëfs van omstreeks 1300, verbeeldend de kruisiging. En ook het reventer van ditzelfde klooster staat er nog. Uit dezelfde decennia van bouwijver getuigt de Broerenkerk dominerend in een heel oud hoekje van Zwolle.

Wie een wandeling door de oude binnenstad maakt, ontdekt de pronkstukjes zelf: het Karel de Vijfde Huis van 1571 met Karels kop gevat in een medaillon in de gevel, het Stadhuis waarvan de ouderdom niet valt af te lezen maar echt van roerige tijden kan vertellen, het geboortehuis van Potgieter, de statige patriciërswoning aan de Melkmarkt die tot provinciaal museum dient, de Waalse kerk en nog vele meer. Wie door de Waterstraat slentert krijgt het gevoel de stad opnieuw met buskruit te moeten verdedigen. Anders mooi is de Buitenkant, waar de bovenverdiepingen van de woningen op vooruitgeschoven balken rusten en de schippers het laatste vaknieuws uitwisselen. Zwolles mooiste monument raakt er bijna door vergeten: de Sassenpoort, die tot de fraaiste stadspoorten van Nederland wordt gerekend en die, als de takken met bladertinten van geel, bruin en rood zich over de Stadsgracht buigen, nog net haar fijngespitste torentjes laat zien.

Zwartsluis aan het Zwarte Water

Afgedwaald van de IJssel en gearriveerd aan de kade langs het Zwarte Water: wat let u de sierlijke gang van de eertijds bekende zeven zwarte zwanen op het gelijkgekleurde water te volgen? Achter het stille, groene, wijde weideland van de polder Mastenbroek ligt Hasselt, een eertijds geducht vestingstadje. Het Stadhuis op de Markt dateert van de vijftiende eeuw. Hasselt ademt rust; de adem staat stil in de tuin van de Grote of Sint-Stephanuskerk, die voornamelijk vijftiende-eeuws is en niet kan ophouden het Zwarte Water te bewaken.

Boven de bocht, die het Zwarte Water maakt voor het als Zwolse Diep zich in het Zwarte Meer uitstort, ligt Zwartsluis. Met zijn kleine herenhuizen in de smalle straten doet het een poging om stads te schijnen. Aan de overzij van het water, alleen per veerpont bereikbaar, wacht Genemuiden; in de ene straat stijgen dikke rookwolken op van het kokos dat juist uit het verfbad kwam, in een andere straat wordt angstvallig voor brand gewaakt door het instellen van een duidelijk rookverbod: een achteloos weggeworpen sigarettepeuk zou een hele reeks hooibergen aan de Achterweg in lichterlaaie kunnen zetten. Genemuiden heeft geen oud stedeschoon te bieden, wel iets bijzonders voor deze tijd: water, riet en biezen. Het Zwarte Meer, ontstaan tussen de oude Zuiderzeekust en de Noordoostpolderdijk, biedt zelfs meer: purperreigers, knobbelzwanen, aalscholvers, kiekendieven en talrijke andere weide- en watervogels vin-

Genemuiden geniet bekendheid om zijn matten; vroeger alleen gemaakt van biezen, nu hoofdzakelijk van geverfde kokosgarens.

den bescherming in het in dit randmeer gevestigde vogel-
reservaat.

Terugtrekkend op de IJssel passeert de toerist het Kampereiland, waarin het groenland zich laat afwisselen met rietkragen en waterkolken. De oude boerderijen overdenken
op hun terpen de dagen toen het Zuiderzeewater over en
door de dijken sloeg en het land rondom blank zette. Graf-
horst teert op zijn stadsrechten en IJsselmuiden herinnert
zich de tijd toen de IJsseldelta nog niet was verzand en vissers en zeelieden de bevolking domineerden.

Kampen, kleinood met een groot verleden

Kampen biedt zich uitnodigend aan, al is de toegang tot deze oude stad nog altijd beklagenswaardig. Misschien zit
er symboliek in de smalle bruggen, die altijd voor de stad
over de rivier – eertijds domein van de steur – gespannen
zijn geweest: een kleinoord als Kampen dient men rustig
en waardig te betreden. De stad zal wel tot in lengte van
dagen moeten leven – ze heeft ook daarmee léren leven – met
het imago van uiegeur, kleine zielen en domme mensjes.
Haar geschiedenis spreekt andere taal, een taal die al te lezen
is voor men een voet op de brug heeft gezet. Kijk eens naar
het silhouet van de overzij van de rivier: een voorproef zo
schoon dat je de smalste brug nog voor lief zult willen nemen. Als de zon de kim heeft bereikt blakeren de gevels en
daken, verscherpen de contouren en straalt de veertiende-
eeuwse hagelwitte Koornmarktpoort een verrassend licht
af. Als donkere wolken zich samenballen of de nacht zich
over de stad neervlijt, dan keert de grimmigheid van de
veste terug. Dan priemen de spitsen van Broerenkerk,
Stadhuis en Nieuwe Toren als waarschuwende lansen in
de lucht.

Ook Kampen zond in vroeger eeuwen zijn koggen af, het
Keteldiep uit, de Zuiderzee op en nog veel verder, tot aan
Portugal en Rusland toe. Vele van Kampens oude monumenten zijn 'van Schonens geld betaald'. En als de jaren eens
wat mager mochten zijn, wel, dan was er nog het hooi van
het Kampereiland dat zeer gevraagd en rendabel was. Tot de
meest kostbare smuk van de stad behoort het oude raadhuis van 1350, tussen gotiek en renaissance. De zes beelden
zijn weliswaar van 1938, maar ze passen zo wonderwel in de
veel oudere achtergrond, dat niemand ze zo jong vermoeden
zou. Het charmante schepentorentje maakt de schoonheid
van het gebouw compleet, al zal de man, gevangen gezet in
de ijzeren schandkooi, daar indertijd anders over hebben ge-
dacht. Kortbij rijst de Nieuwe Toren op. Gezegd wordt
dat deze toren de mooiste is van die welke in ons land
na de dood van Lieven de Key en Hendrick de Keyser nog
zijn opgetrokken. Het carillon is van niemand minder dan
François Hemony en laat zich al sinds 1664, toen het bouwwerk zijn voltooiing nog niet helemaal had bereikt, horen.
Als dit klokkenspel zijn klanken over de daken en straten

Zie zéég'gen, det eel lang verleden
De mooiste toren van de stad
Van 't emelvuur stark ef eleden
En det ie toe gien spits meer ad.
't Koebeest mut nao boven,
Want daor gruui-jt dikke grös,
Maar toe 't beesien boven was
Deed ie gien bek meer lös.
'Det kump wel weer teregte,'
zei-j Gait, 'det ef gien nood!'
Maar 't kwam niet veur menare,
't Beest was ardstikke dood.
'Det koi-j tog wel begriepen,'
Zei Aar'nd: 'de zunne ef 't edaon,
Daor boven is 't veul ieter,
Daor kwam de ramp vandaon!'
En 't ende van 't liedtien was toe
Det 't dier mos nao beneen.
Det smoessien gebeur'n in Kamp'n
Maar 't is allange el'een.

Een van de vele 'Kamper uien'

en pleinen uitstort, mensen, dan glijdt een leven tussen strijd, hoop en liefde aan het oor voorbij:

> '... want boven in de klokketoren
> na 't donker bronzen-urenslaan
> ving over heel de stad te horen
> de beiaardier te spelen aan.
> Valerius: – een statig zingen
> waarin de zware klok bewoog,
> doorstrooid van lichter sprankelingen,
> "wij slaan het oog tot u omhoog",'

dichtte Ida Gerhardt.

Van de Sint-Nicolaaskerk is het jaar van de stichting zelfs niet eens precies bekend, tussen transept en toren zijn echter Romaanse pijlers te bespeuren. Van de Onze-Lieve-Vrouwe- of Buitenkerk, veertiende-eeuws, driebeukig en van baksteen, valt de toren op, één groot brok van hechte gotiek. Ook in Kampen lieten de Minderbroeders een erfenis na: de Broederkerk, eens behorend tot hun klooster. De Doopsgezinde kerk, vijftiende-eeuws, was eertijds ook al een kapel van een klooster.

Dan zijn er de huizen: het Gotische Huis aan de Oudestraat, het oude pakhuis aan de Burgwalstraat, het Olde Vleyshuis aan de Oudestraat, om maar enige te noemen. Kampens stadsgracht, de Burgel, is al gegraven in 1462; aan de Burg-

wal staan de Verenigde Gast- en Proveniershuizen uit de zeventiende eeuw rond een knus binnenhof.

De ware blikvangers van de 'keizerlijke vrije stad Kampen' blijven de poorten. Men zal altijd onder hun bogen moeten gaan om de echo van de karrewielen op de keien en van het gekletter der wapenen te beluisteren. Eens waren er eenentwintig, drie bleven over. De eerste was al zichtbaar van de overzij van de IJssel, blakend in het zonlicht: de Koornmarktpoort, uitweg op de rivier gevend sinds de veertiende eeuw. Een eeuw jonger is de Cellebroederspoort, die in de westgevel het wapen van keizer Maximiliaan toont. De derde en zeker niet minder imponerende stadstoegang, de Broederpoort, stelt zich tevreden met de bewaking van een keurig onderhouden plantsoen.

Verlegde kusten

Geen vaartuig, dat van Kampens IJsselkade vertrekt en het Keteldiep kiest, zal meer de onberekenbaarheid van de zee ondergaan. Van de bodem van de Zuiderzee, die IJsselmeer werd, kreeg Overijssel een gladgestreken en afgebiesd stuk toebedeeld, waarmee weer een ander landschap aan de provincie werd toegevoegd: de Noordoostpolder. Toch is de Noordoostpolder niet een uitgesproken 'land van den wind en van den regen en van de wolken aan den horizon', zoals Koos Schuur een Nederlandse polder zag. De bekoring

Waar ooit de vissersschepen voeren op de Zuiderzee ligt nu de polder als langs een liniaal getrokken.

Al ligt er geen zee rondom maar vruchtbaar land, Schokland is nog duidelijk een eiland. Het kerkje doet nu dienst als museum.

van dit provinciedeel ligt niet alleen in het wijde land van goede grond en welig gewas, in de moderne boerderijen binnen de fraai onderhouden tuinen. De Noordoostpolder omvat ook het aloude eiland Schokland, waarvan de houten paalbeschoeiing nog intact is en de pastorie en de kerk elke dag op een springvloed bedacht schijnen. Schokland voelt zich nog helemaal eiland, al weet het zich omringd door korenvelden en rijden auto's tot bijna voor de kerkdeur.

De Noordoostpolder nam ook Urk op. Maar Urk was een eigenwijs kind, dat zich niet door stiefmoeder polder liet inkapselen. Doordat Urk zicht op zee bleef houden, kon het ook zichzelf blijven, ondanks het toenemende aantal dagjesmensen. Het eiland bleef het brood uit het water halen, handhaafde zijn pikbroeken, behield het vertier aan de kade, de geur van de vis en op maandag het wasgoed aan de drooglijn.

Als storm en zee een dreigende houding aannamen, moest het kanon op Schokland de bewoners van het eiland alarmeren.

Nee, de Noordoostpolder is niet naakt, hij biedt vijfentwintighonderd hectare bos: het Emmeloorderbos, het Kuinderbos, het Urkerbos, het Voorsterbos, om maar enkele te noemen. En dan de dorpen, die in een krans om de 'stad' Emmeloord liggen: Ens met zijn kerk in moderne stijl en in het voorjaar middelpunt van een veelkleurige bollenstreek, Kraggenburg dat in de lente en zomer schuilgaat onder geurig fruit en kleurige bloesem, Marknesse dat zich de oudste nederzetting van de polder mag noemen en zich vriendelijk en verdeeld in brede groene lanen presenteert, Luttelgeest in zijn merkwaardige ligging binnen een driehoek van vaart, weg en kavel, Bant om het knusse pleintje met bedrijfjes, Rutten op een kruispunt charmant zijn architectonisch opvallende bouwwerken tonend, Creil dat een ruime opzet meekreeg en zijn blik op het noorden richt, Tollebeek dat het zakendoen duidelijk van het geloof heeft gescheiden, Nagele dat werd ontworpen zodanig dat het voor nu en later 'in een ruim nest van groen' zou liggen. En ten slotte de 'stad' Emmeloord, maar dat wel moet worden benaderd als een stad van deze tijd, gebouwd naar hedendaagse inzichten en verlangens. Om de Deel staan de openbare gebouwen en erop de zestig meter hoge poldertoren. In de Lange Nering doen – en daar moet toch even worden stilgestaan – mensen hun boodschappen en genieten van een kopje koffie zonder zich er meer van bewust te zijn, dat het zeewater nauwelijks dertig jaar geleden vier meter boven hun hoofden stond...

Lopend op de Zuiderzee

Wat schippers, vechtend tegen water en wind, amper vijftig jaar geleden voor onmogelijk hadden gehouden, is bewaarheid: men kan zo maar van de bodem van de Zuiderzee de dijk van het 'oude land' opkrabbelen. In die oude kuststrook teren dorpen en stadjes op het romantische verleden toen de Zuiderzee vertier, bedrijvigheid en welvaart bracht en zo nu en dan een fikse overstroming, maar ach, bij het ophalen van herinneringen pleegt men onprettige ervaringen immers te vergeten.

Op de grens van het 'nieuwe' en 'oude land' ligt een snoer van schatjes van stadjes, waar nauwe straatjes tot kuieren noden en de geur van vis en pek de neus streelt. Waar belletjes rinkelen in winkeltjes met zuurtjesflessen voor het raam. Waar nog boten worden gebouwd met timmermansoog. Zo is *Kuinre*, met de oude Boterwaag, vroeger gemeentehuis, en Blankenham, zich verbergend achter een hoogwaterkanon dat nooit meer dienst zal doen. De sfeer rond de Havenkolk, gegraven in 1550, in *Blokzijl* is nauwelijks anders dan die van honderd jaar terug. Hals- en trap-

De Havenkolk in Blokzijl, waar eens koopvaarders aanlegden; de charmante gevels herinneren aan de welvaart in de Gouden Eeuw.

Vollenhove, dat al in 1354 stadsrechten kreeg, mag bogen op fraaie historische monumenten. Hier de voormalige Latijnse school.

geveltjes, zoals we ook in Amsterdam zouden aantreffen, maken met de zeventiende-eeuwse kruiskerk op de achtergrond de herinnering compleet van het vestingstadje Blokzijl, dat in de Gouden Eeuw zelfs een walvisvaarder moet hebben bezeten.

In *Vollenhove* heeft de gemeentesecretarie domicilie in een havezate van voor 1400. De tweebeukige, aan Sint Nicolaas gewijde Grote Kerk, van dezelfde tijd, heeft de bakstenen toren los van de kerk staan. Wie een nacht uit duizend-en-een wil slapen kieze een kamer in het in 1621 gebouwde sierlijke, als stadhuis gebouwde hotel, een gebouw met een romantische open zuilengalerij. In dit schilderachtige hoekje staat ook de Latijnse school, anno 1627, een sieraad van een mooie kleine stad. Sober is de in 1434 gebouwde Onze-Lieve-Vrouwekerk, gewijd aan Maria, herkenbaar aan haar opvallend koepeldak.

Het waterhoofd van Overijssel

Achter de voormalige Zuiderzeekust strekt zich de Noordwesthoek uit; de 'Kop van Overijssel' zeggen anderen, weer anderen hebben het over het waterhoofd van Overijssel. Dat laatste is zo gek nog niet. De Kop is een uniek gebied, niet alleen voor Overijssel of voor Nederland, zelfs voor heel Europa. Eén groot gebied waar de natuur zo goed als vrij spel heeft. Turfwinning, gevolgd door overstromingen, heeft dit merkwaardige land van meren en weiden en kraggen gevormd, dit paradijs voor ornithologen en botanici, deze rustige levensruimte voor tientallen soorten water- en oevervogels. Een plassengebied van zesentwintighonderd hectare, waarin iedereen de Belter-en Beulakerwiede kent waarop het op zomerse dagen onmogelijk is de zeilen te tellen.

Hier liggen de pittoreske waterdorpen als *Giethoorn,* Wanneperveen, Belt-Schutsloot. Het eerstgenoemde heeft de grootste bekendheid; een bepaalde film droeg daar niet weinig toe bij. Giethoorn wordt ook bezongen als Hollands Venetië. Vergeet het maar. Venetië is Venetië en Giethoorn is Giethoorn. In Giethoorn liggen huizen en boerderijen aan het water, slechts bereikbaar via bruggetjes over de sloot. Maar het meeste vervoer komt niet over de bruggetjes, maar komt van het water zelf. Met punters. Koeien gaan naar de stal per punter, kerkgangers naar de preek per punter, paartjes naar het stadhuis per punter. En duizenden vakantiegangers tellen per jaar een kapitaaltje uit voor die ene belevenis die zo typisch Giethoorns is: punteren door dit wondermooie stuk Nederland.

De Kop is niet Giethoorn alleen. Er is meer schoons en zeker meer rustigers in de Kop te vinden. Om maar wat voor de vuist weg te noemen: het natuurreservaat De Weerribben, waar de tjasker wentelwiekt, de rietvelden Schut- en

Wie aan Giethoorn denkt, denkt aan 'punteren'. Vrijwel alle vervoer gaat dan ook over water, onder rustieke bruggetjes door.

Hoog in de wind staat fier de schilderachtige molen van Vilsteren.

pleegt er een goudmop of een ellekoek te kopen en al knabbelend te kijken naar de Grote- of Sint-Clemenskerk van 1422 en de bijna evenoude Kleine- of Lieve-Vrouwekerk. Op de wallen en bastions langs de gracht, schuilgaand onder geboomte, vertelt Steenwijk van zijn verleden:

> ''t Stond bang en veeg in Steenwijks muur
> Met Rennenberg er voor,
> De zwakke wallen brokten door,
> Het regende in de straten vuur.'

Wie aan de stad niet genoeg heeft, kan vluchten naar het om de stad gespreide Steenwijkerwold: bos, hei, vennen, bouw- en weiland, boerderijen en panorama's van de Woldberg.

Het zilveren lint in 't groen van Salland

Het is een lange stap van Steenwijk naar Staphorst, maar 't is een stap die de moeite loont. Staphorst en Rouveen bieden een ogenblikje stilte in een wereld van menselijk lawaai; ze vormen samen een enclave in een jachtige wereld, boerengemeenschappen die hun oorspronkelijke karakter zo sterk hebben weten te behouden dat het onwezenlijk schijnt. Dat geldt niet alleen vanwege de opmerkelijke klederdracht, het is evenzeer te proeven uit de kleuren, die – wit op de kozijnen, blauw op de vensterbanken, horren en melkrekken, rood en groen op de deuren en luiken – in een ontwapenende harmonie op de boerderijen zijn aangebracht. De kerk van Rouveen is van 1641, die van Staphorst van 1752.
Door prachtige natuurcomplexen, zoals De Witte Bergen, Het Schot, Boswachterij Staphorst, Koolhaar, Wollegrasveen, De Zwarte Venen, Zoere Grachten, De Vier Bergen, Groot- en Klein-Oever en Oud-Avereest, bereikt men Balkbrug, gelegen aan de Dedemsvaart. En daarmee in het dal van de Vecht, de 'Overijsselse Vechtstreek' wordt dan gezegd om niet met die in Utrecht in de war te komen.
Het Vechtdal, dat als de rug van Overijssel kan worden gezien, is niet voor niets een geliefd vakantieoord. De rivier, eens beschreven als 'een zilveren lint in het groen van Salland', kent inderdaad langs haar oevers een bonte verscheidenheid van landschappelijk schoon. Weilanden, bossen, heidevelden, zandverstuivingen worden afgewisseld met schilderachtige kastelen en buitenplaatsen, gezellige stadjes, dorpen en buurtschappen. Er zijn mensen, mensen die het Nederlandse natuurschoon heel goed kennen, die de meer dan duizend hectare tussen de Vecht bij Ommen – Junne om wat preciezer te zijn – en het Eerder Achterbroek als het mooiste landschap beschouwen dat Overijssel te bieden heeft. En dat zegt heel wat! Zandverstuivingen, bos- en oude cultuurlandschappen, door rietkragen omzoomde oude rivierarmen, loofpartijtjes, houtwallen, essen, oude laantjes, bloemen, bloemen en nog eens bloemen, dat alles ligt hier zo maar voor het genieten in Junne.

Grafkampen die met meer dan driehonderd molentjes bevloeid worden om het droogvallen van de velden te voorkomen, de buurtschappen met de originele onvermoede namen als Kalenberg, Muggenbeet en Nederland. Kleine Giethoorntjes, alleen stiller. Uitgangspunten voor ontdekkingen van reservaten als de Grote Otterskooi, de grootste eendenkooi van Europa, de Duiningermeer, Achterweiden, Stobbekamp, Bollemaat, Vossebelt en Venematen, waar alleen de gang over een 'natuurpad te water' de wilde wonderwereld van Overijssel voor u opent.
Steenwijk geeft weer droge grond onder de voeten. Men

Natuurlijk er is meer aan landschappelijke schoonheid te vinden in de Overijsselse Vechtstreek: het Varel of Englandse Bos, het Rheeserveen, de Rheesermaten, de Rheeser Belten, het Rheeserveld, het Beerzerveen, het Beerzerzand, de Beerzer Belten, de Boswachterij Hardenberg, de Boswachterij Ommen, de Klimberg, het Colenbranderbos, het Eerder Achterbroek, de Besthemerberg, de Archemerberg, de Lemelerberg. 't Is zo maar een greep, begrijp dat goed, maar 't kan ook niet anders.

De Vecht

En dan de stadjes en dorpen langs de Vecht. Elk plaatsje kent een kasteel en vaak een oude herberg... *Dalfsen* heeft alle stadia van de vaderlandse geschiedenis praktisch beleefd. De Romeinen hadden er een nederzetting. Kasteel Rechteren, een pronkstukje van vestingbouw met een echte donjon, stammend uit de veertiende eeuw, herinnert aan de welvarende dagen van de roofridders.
Ommen ontstond op een doorwaadbare plaats in de Vecht en is sinds 1243 echt een stad. Of die compleet was met muren en grachten en zo weten we niet; de stad brandde in 1330 volkomen plat. Niet ver van het dorp staat Huis Eerde, dat een bewogen geschiedenis te vertellen heeft. Van Ommen uit valt heel gemakkelijk het hele Vechtdal te verkennen, en bovendien de Lemelerberg die zonder enige

De Vriezenveners waren vroeger tot ver over de grenzen bekend. Ze verhandelden in de zeventiende eeuw al linnen en zaden in Oost-Friesland, Noorwegen, Denemarken en Koerland. Spoedig hadden ze ook contacten gelegd in Rusland. Cornelis Cruys werd zelfs de grondlegger van de Russische oorlogsvloot, Wicher Berkhoff werd er admiraal op.
De Vriezenveners, die met de Russen handelsbetrekkingen onderhielden, werden 'rusluie' genoemd. Ze reden binnen veertien dagen per huifkar van hun woonplaats naar Sint-Petersburg. Omstreeks 1750 bezaten ze panden in de belangrijkste winkelstraten van die stad en verkochten er linnen, stokvis, pijpen, tabak, chocolade, manufacturen, enz. De hoge adel van Rusland, zelfs het Russische koningshuis, behoorde tot de vaste cliëntèle. De revolutie van 1917 heeft voor het eerst een eind aan deze nering gemaakt.

Deze stenen leeuw waakt bij de overblijfselen van Huize De Gelder in Wijhe.

afbreuk of toevoeging kan worden afgedaan met de woorden van Johanna van Buuren:

'Den Lemelerberg...
Woer 't dofbroene heed en het blaanke zaand
Zich teens mekare koestert in zunnebraand...'

De Stephanuskerk stond in Hardenberg al in 760. Hardenberg moet dus wel heel oud zijn. Alleen muurresten getuigen daarvan. Het nabijgelegen Heemse valt bij met het kerkje van 1200.
In het staarteinde van Overijssel – Overijssel kan gemakkelijk verdeeld worden in lichaamsdelen, zoals men ziet – ligt Gramsbergen, in een omgeving van ongerepte natuur. Vlak daarbij stroomt de Vecht vredig Nederland binnen. Zuidelijker ligt *Vroomshoop*, ontstaan door verveningen en tot ontwikkeling gebracht door Groninger boeren, hetgeen aan het boerderijtype duidelijk te zien is. Van Vroomshoop is het niet ver naar *Vriezenveen*, ook een veenkolonie, maar wel iets ouder dan Vroomshoop. Het natuurreservaat 'De Engbertsdijkvenen', veertig hectare groot, behoort tot de laatste stukken levend maagdelijk hoogveen in ons land. Omstreeks 1400 moet Vriezenveen al door Friezen – waar kwamen die niet? – zijn gesticht. In dit langgerekte dorp vallen de karakteristieke boerderijen op. Zo heel bevreemdend is dat ook weer niet, want met Vriezenveen is de toerist weer in een heel ander landschap van Overijssel beland: Twenthe.

Fabriqueurs, hoes'n en meuln's: Twenthe

Als een provincie een 'kop' heeft, en ook over de rug en de staart van Overijssel hebben we het al gehad, dan wil men er nog een ander lichaamsdeel bij zoeken. Twenthe mag dan het achterste van Overijssel zijn, achtergebleven is het in geen geval. In Twenthe, dat zich uitstrekt achter de Overijsselse heuvelrug en zich laat doorsnijden door bekoorlijke watertjes als Regge en Dinkel, woont momenteel zestig procent van de bevolking van de provincie. De zoutwinning en de verschillende industrieën, die in Twenthe een goede voedingsbodem vonden, zijn aan die bevolkingsaanwas niet vreemd geweest. In 'ons nijvere Twenthe' streeft Enschede alleen al naar meer dan honderdvijftigduizend inwoners.

Waar fabrieksschoorstenen verrezen, in betrekkelijk korte tijd wegen zijn aangelegd en kanalen zijn gegraven, steden en dorpen zijn uitgegroeid, kan Overijssel daar nog wel mooi zijn? Op die vraag kan zonder aarzeling een bevestigend antwoord worden gegeven. Buiten de industriecentra bleek de aloude tred niet te verstoren. De typisch Twentse boerderijen, de havezaten en ridderhofsteden, de watermolens bleven waar ze hun plaats hadden gekregen. Cultuur- en natuurlandschap sloten zich vredig bij elkaar aan en zijn bijna niet meer van elkaar te onderscheiden. Ook de Twentse mens bleef wie hij was, zijn aloude gebruiken in ere houdend: de mens waarvan de Hellendoornse dichteres Johanna van Buuren zo treffend heeft gezegd:

'Het zint twee harde warkers,
De baas en 't aole peerd.
Het zint twee groote zwiegers,
Zee hebt mekaar eleerd.
De baas geet ongesprökken
Dan tèèns de wage voort.
Hee bromt neet en hee pris neet,
Hee is van 't stille soort.'

Dat is meteen de sfeer van het platteland van Twenthe, honderd jaar geleden nog één heideveld, nu met recht één natuurpark waarin de steden, stadjes en dorpen weliswaar een groei hebben doorgemaakt, maar waarin nog heel veel moois te ontdekken is. Volstaan moet worden met een beperkte opsomming. In het Land van de Dinkel liggen de Losserse zandbergen, tussen Haaksbergen en Buurse het Buurserzand met de prachtige jeneverbesstruiken. Bosrijk is de omgeving van Lutte, Lutterzand en Denekamp. In dit opzicht is de omgeving van Ootmarsum, Vasse en Tubbergen niet minder. Prachtig zijn de bossen rond kasteel Twickel in Delden, rond Diepenheim, Markelo en Rijssen. En daartussen: bouwland, zandverstuivingen, vennen, heide, essen, uitzichten, 't is in Twenthe allemaal bijeen te vinden. Gigantische eiken om eenzaam staande hoeven, aan de voet van gave essen.

Oldenzaal, Almelo en Hengelo

Jammer, het is onmogelijk alle natuurlijke schoonheid van Twenthe binnen het hoofdstuk Overijssel in dit boek langs te gaan. Er moeten immers ook nog steden worden bekeken. In de vroege middeleeuwen was *Oldenzaal* een belangrijke vesting; de rondlopende straatjes zijn daaraan niet vreemd, ze werden met de omwalling 'meegetrokken'. De trots van Oldenzaal is de Sint-Plechelmusbasiliek, waarvan de markante toren het waarmerk van de stad mag heten. Het oudste deel van de kerk moet van omstreeks 1150 zijn, de robuuste toren werd in de dertiende eeuw opgetrokken. Over de verticale en ronde uithollingen bij de ingang in de zuidermuur heersen meningsverschillen. Hebben soldaten hierin hun bajonetten geslepen, burgers en burgeressen hun breipennen? Of ging het hier om het winnen van geslepen poeder van een gewijde kerk waarmee pest en tyfus bestreden konden worden?

Met de Plechelmuskerk is eigenlijk alles van Oldenzaal verteld. Na de Tachtigjarige Oorlog bleef van Oldenzaal niet veel over; aan de Marktstraat vallen enkele gevels op die aan de goede oude jaren van Oldenzaal herinneren.

Als het om mooie gebouwen uit het verleden gaat kan *Almelo* meer laten zien. We kunnen beginnen met het noemen van de statige Grotekerk, gelegen tussen grafelijke bossen. Zij werd voltooid in 1738, maar haar koor is driehonderd jaar ouder. Weer ouder is het Huis Almelo aan de Gravenallee, residentie van de graaf uit het gelijknamige geslacht. De historie van het Huis gaat terug tot 1136. Aan de Grotestraat, in Almelo's hart, staat het oude stadhuis, gebouwd in 1690 en opvallend door het klokketorentje. In dezelfde

TWENTS VOLKSLIED

Er ligt tussen Dinkel en Regge een land,
Ons schone en nijvere Twenthe,
Het land van de arbeid, het land der natuur,
Het steeds onvolprezene Twenthe.
Daar golft op de essen het goudgele graan,
Doet 't snelvlietend beekje het molenrad gaan,
Daar ligt er de heide in 't paars-rode kleed,
Dat is ons zo dierbare Twenthe! (bis)

Waar Twickel zijn torens uit 't eikeloof heft,
De Lutte zijn heuvels doet blinken,
De paasvuren branden alom nog in 't rond,
En 't landvolk de kersthoorn laat klinken,
Daar stroomt onze Dinkel zo heerlijk door 't land,
Door bossen en velden, langs 't Losserse Zand,
Daar rust er ons oog van der heuvelen top
Op 't heerlijke landschap, ons Twenthe! (bis)

De rookwolk, die stijgt aan de horizon op,
Die wijst ons de nijvere steden,
Met mensen, arbeidzaam en degelijk bewoond,
De zetels van 't krachtige heden.
Maar buiten in boerschap, op heide en veld,
Daar wordt nog de sage en 't sprookje verteld,
Daar rust de Tubanter in 't heuvelig graf,
't Verleden naast 't Heden van Twenthe! (bis)

En voert ons het lot ook uit Twenthe soms weg,
Wij blijven het immer gedenken,
Geen andere landstreek, hoe schoon ze ook zij,
Kan 't zelfde als Twenthe ons schenken.
Wij drukken elkaar in den vreemde de hand,
Gedenken ons klein, maar zo dierbare land,
En moge ons huis in den vreemde ook staan –
Ons hart blijft toch altijd in Twenthe! (bis)

straat mag men niet voorbijgaan aan het Hofkeshuis, dat de 'textielfabriqueur' Lambert Hofkes – een van de eersten die stoomkracht gebruikte – bouwen liet.
Er zijn meer oude 'hoesen' in Almelo: het achttiende-eeuwse Rectorshuis in de Korte Prinsenstraat, de Doopsgezinde kerk – ook weer in de Grotestraat – het Van de Ao's Hoes en het Achterhoes. Het Waaggebouw aan de Markt mag zich, hoewel gesierd met trapgevels, niet bij de andere voegen: 't is máár van 1914. Maar 't hoeft ook niet altijd oud te zijn om mooi te wezen, nietwaar? Daarvan getuigen de fraaie beeldkunstwerkjes van deze tijd, aanwezig door heel de stad, van een zittende boer tot een moeder met kind.
't Rijtje maar gewoon afgaan. Na Almelo pleegt *Hengelo* te worden genoemd. Voor de laatste wereldoorlog was de oude dorpse kern nog duidelijk herkenbaar, maar een bombardement maakte daar een eind aan en Hengelo ging daarmee in feite een wedergeboorte tegemoet. Om Hengelo te waarderen moet de bezoeker dan ook van heel andere maatstaven uitgaan. De Sint-Lambertuskerk is nog van de vorige eeuw. Voor het overige voert de moderne architectuur

de boventoon in Hengelo en ook die dwingt toch bewondering af. Genoemd moeten worden de Sint-Raphaëlkerk aan de Jozef Haydnlaan, het Concertgebouw aan de Beursstraat en – sinds 1963 – het Raadhuis, waarin Toscaanse vormen te herkennen zijn.

Wie het moderne niet kan bekoren, wie te romantisch van aanleg is, wel die ontvliede de stad. Want even buiten Hengelo wacht weer de Twentse ongereptheid. Nog even wat landschappelijk schoon ertussendoor noemen? Let dan eens op de essen in het buurtschap Oele, waar de Twekkelerbeek meandert en een 'olde meule' van 1690 in beweging brengt. De beek vindt haar weg door de bossen naar Twickel bij Delden. Hier is ook de landelijke schoonheid van de buurtschappen Driene en Twekkelo te vinden: boerderijen, akkers, weiden, bos en hei, landgoederen.

Van Esmarke tot Enschede

De laatste van de grote vier van Twenthe is bepaald niet de kleinste. Enschede is ouder dan menigeen denkt. Al in 1119 moet de stad als Esmarke hebben bestaan en om en nabij 1235 stadsrechten hebben gekregen. Ze bleef onopgemerkt haar bestaan leiden tussen wallen en grachten, totdat in 1728 nijvere fabriqueurs het katoen onder de gewone man brachten om het tot bombazijn te laten verwerken. Sindsdien heeft Enschede een stormachtige ontwikkeling niet meer kunnen tegenhouden. Vooral na 1830 bloeide de stad op de textiel, versneld aangemaakt door snelspoel en stoommachine.

Heeft die 'industrialisatie' bijgedragen om van Enschede een mooie stad te maken? De meningen lopen dienaangaande sterk uiteen. De textielfamilies lieten weliswaar fraaie parken aanleggen, maar om in Enschede monumenten van historische betekenis te vinden is wel enige moeite nodig; in 1862 werd Enschede door een felle brand zo goed als geheel verwoest. Het stadhuis, geïnspireerd op de Zweedse architectuur, is bijvoorbeeld van 1933 maar is er toch niet minder mooi om. Achter het stadhuis staat nog wel de oude Romaanse kerk, opgetrokken van zandsteen; in feite is de noordelijke muur een overblijfsel van middeleeuwse oorsprong.

De Sint-Jacobuskerk is ook van 1933, al zou de oudbyzantijnse stijl anders doen vermoeden. Van de synagoge in de Prinsestraat wordt gezegd dat zij de mooiste synagoge van Europa is. De koperen koepels geven er een oosters accent aan; toch moet ze de vijftigjarige leeftijd nog bereiken. Met het noemen van het Rijksmuseum Twenthe, dat in 1930 gereedkwam en uiterlijk aan een klooster doet denken – én van binnen veel moois te bieden heeft – moet afscheid worden genomen van Enschede.

Hoewel al meer van het natuurschoon van Twenthe werd gezegd en geprezen, mag men niet nalaten een bezoek te brengen aan de omgeving van Enschede. Want ook Lonneker, Glanerbrug, Broekheurne en Boekelo behoren tot de gemeente Enschede. Om de stad strekken zich meer dan vijftig landgoederen uit; het merendeel werd aangelegd door textielondernemers.

Karakteristieke boerderijen met witte kozijnen, groene deuren en blauwe melkrekken: dat kan slechts Staphorst zijn!

Twenthes folklore

Meer plaatsen in Twenthe wachten. Beperking tot enkele is noodzakelijk, een moeilijk besluit want waar is Twenthe niet mooi? Om *Tubbergen*, aan de voet van de zestiende-eeuwse toren, pronken pittoreske Saksische boerderijen met vakwerkschuren. Bepaald idyllisch is de ligging van *Oot-marsum*, waarvan de geschiedenis zich zelfs in het duister verliest. Onmiddellijk zal de imposante zandstenen kerk uit de dertiende eeuw opvallen. Het oude 'echte' boerenleven – dat met de levende have onder één dak werd gedeeld – herleeft in het fraai gerestaureerde '*los hoes*'. Ootmarsum doet wat buitenlands aan; ligt daarin de sfeer besloten die de bezoeker in Ootmarsum ongetwijfeld ondergaat? Het is heel schoon om Ootmarsum. Er zijn veel verrassingen; één noemen zegt genoeg: de Hunenborg, een walburcht die te midden van bladergroen aan de roemruchte Karolingische dagen terugdenkt.

In het land van de Dinkel ligt ook *Denekamp*. Meindert Hobbema, leerling van Ruysdael, had dit dorp en zijn omgeving al ontdekt en voor de dubbele watermolen van Sin-graven zijn schildersezel neergepoot. 't Is alleen de Din-kel die met haar bruisend water deze koren-, olie- en hout-zaagmolen in beweging brengt. Een plek vol romantiek, waar het moeilijk vandaan te gaan is. Denekamp biedt zo-veel méér: de havezate Singraven, het klooster Sint-Nico-laasgesticht buiten Noord-Deurningen, het Huis te Brecklen-kamp voorbij Lattrop, met niet ver daarvandaan het Schol-tenerf. En met het noemen van de Beuninger Achterheide, het Sterrebos, het Borgbos, de Bergvennen en het Brecklen-kampseveld, is met deze opsomming niet meer dan een gebrekkig begin gemaakt.

Borne, bakermat van de Twentse textielindustrie – in de ze-ventiende eeuw vestigden zich hier van elders gevluchte doopsgezinde linnenwevers – wil graag zijn laatgotische kerk met de massieve toren tonen. Sfeervol is de Koppels-brink. In de Weerselosestraat staan twee 'klopjeswoningen'; klopjes waren ongehuwde katholieke vrouwen die de pries-ters hielpen. Het Bussemakershuis was eens het woonhuis van een linnenfabriqueur; u ziet: nergens in Twenthe schijnt het verhaal zonder textiel verteld te kunnen worden. Haaks-bergen – de Sint-Pancratiuskerk getuigt ervan dat ook deze plaats al erg oud moet zijn – is een uitgangspunt voor tal-rijke verkenningen. Bossen, venen, zandverstuivingen, poelen, vogels, 'bulten', maar ook een watermolen, een ko-renmolen en een los hoes behoren tot de kostbare toeristi-sche inventaris van Haaksbergen.

Langs de door groen beschutte boerderijen, een watermo-len op de Molenbeek en kastelen als Huis Diepenheim en Kasteel Nijenhuis meldt zich Diepenheim. Een grote stap en we staan in *Delden,* waar kasteel Twickel het oog be-koort en graag de oranjerie en de reuzenrododendrons toont; in het Twickelsebos kan men zo ver wandelen dat men in Borne uitkomt, en dan heeft men, echt, een sprook-jesbos in natura gezien.

Goor, stad sinds 1263, ontstond bij de oversteekplaats over de Regge. Thomas Ainsworth richtte hier in 1836 de eerste textielschool op; alweer die textiel... Heel veel jaren voor dit gebeuren hadden de drosten van Twenthe het in dit deel van Overijssel voor het zeggen. Ze resideerden op Huis Heeckeren. De Hervormde kerk, gesierd met een dubbel-wapen van Ripperda in de noordmuur weet er van mee te praten. Het ware Twentse leven bruist in *Markelo*. Markelo is oud, er moeten al om en nabij het jaar nul boeren hebben gewoond. Nu nog wordt nergens de Twentse folklore zo in ere gehouden als in Markelo.

Rijssen betekent het afscheid van Twenthe en het blijkt dat zelfs deze plaats niet teleurstelt. Het stadje strekt zich uit aan de voet van de Rijsserberg, die onvergetelijke verge-zichten biedt. Ook het dorp heeft wat in petto gehouden: de Schildkerk, antieke gevels, een pelmolen en schilder-achtige boerderijen.

Salland: het stille land tussen wateren en bulten

Op de Rijsserberg staat men in feite op de natuurlijke grens tussen Twenthe en het laatste deel dat in Overijssel door-kruisd moet worden: Salland. Het bekoorlijke riviertje de Regge stroomt vrijwel evenwijdig aan de Overijsselse heu-velrug, zodat een vergelijking met een stadsomwalling kan worden gemaakt. Gelijk met de Regge volgt naar het noor-den de ene berg de andere in de heuvelrug op: Holterberg, Haarlerberg, Hellendoornse berg om ten slotte met de Lemelerberg op de Vechtstreek, de rug van Overijssel, aan te sluiten. Rivieren spelen een grote rol in Overijssel; ze bepalen bijna altijd een landschap. Tussen IJssel, Vecht, Regge en Schipbeek strekt zich het land van Salland uit.

'In de bergen van Overijssel': van Holten loopt een prach-tige toeristische weg over de Holterberg naar **Nijverdal**, dwars over de heuvelrug, met elk moment verrassende ver-gezichten. De Holterberg kent zelfs ravijnen: het Numen-dal, of gewoon het Niemendal, een oud erosiedal met juni-perusstruiken en hoge bomen, en het ravijn de Diepe Hel, naast de Schouwenburgse bossen.

Wandelroutes, met nauwgezetheid bepaald, willen de be-zoeker de prachtige natuur deelachtig laten worden. Zo be-staan een Noetselerberg-, een Hekseler-, een Hamel- en een Heuverveldwandeling. Nijverdal en Hellendoorn lopen zo goed als in elkaar over. Bezienswaardig is de kerk van Hel-lendoorn, ze dateert van ongeveer 1200. Blijf eens even staan voor de 'karkesproake', een spreekgestoelte dat de stads-omroeper toegewezen kreeg toen het dorpsnieuws niet meer van de kansel mocht worden afgeroepen. De Hellendoornse Berg, veertig meter boven NAP, beschikt over duizend hec-tare bosgebied. De laatste 'bult' van de Overijsselse heuvel-

Kasteel Rechteren is helemaal zoals een middeleeuws kasteel gezien wil worden; sinds de 13de eeuw ziet de toren uit over de Vecht.

rug, de Lemelerberg, is dubbel zo hoog als de Hellendoornse. Het natuurreservaat Park 1813 is niet zo maar bekeken, bijv. het Grote en Kleine Ravijn en de Gedachtenishoek met de bloeiende krentebossen; moeder natuur vraagt zoveel aandacht dat woorden te kort schieten.

En nu: afzakken naar de Schipbeek, door de buik van Overijssel. Een land met een eigen karakter. Om Heino beconcurreren de kastelen en landgoederen elkaar in schoonheid. Enkele: Het Nijenhuis, Den Alerdinck, De Colckhof, 't Relaer. In Heino zelf pronkt de zware vijftiende-eeuwse toren van de Hervormde kerk. Een waarschuwing vooraf is nodig voor het geval het geweten van de zwengelaar niet helemaal zuiver is: de dorpspomp op het Marktplein weigert

water te geven als dat het geval mocht zijn. En wie dat dan mocht gadeslaan..., dat zou zo leuk niet zijn. Overigens: 't is desondanks te proberen. Vanuit Raalte bereikt men weer andere natuurreservaten zoals het Boetelerveld en landgoederen als De Velner.

Het stille Sallandse land eindigt – bij Bathmen – ten slotte aan de Schipbeek. Ook hier presenteren zich de landgoederen, De Bannink en Dorth bijvoorbeeld. De Bathmense Hervormde kerk heeft een koor en toren uit de vijftiende eeuw. Via Diepenveen en Schalkhaar, beide ook al gelegen te midden van onvergetelijk natuurschoon, komen we op ons uitgangspunt terug. Deventer sluit de reiziger door Overijssel opnieuw in zijn armen...

Plaatsen met beziens- waardigheden in Overijssel

Oost Overijssel

HENGELO
Deze plaats is gelegen in een prachtige Twentse omgeving met boeiend natuurschoon en biedt vele rij-, fiets- en wandel-mogelijkheden.

DELDEN
De bosrijke omgeving, waarin akker- en weilanden zijn uitge-spaard, is het bezoeken waard, evenals het park met de oranjerie van Kasteel Twickel, welke op woensdag- en zaterdagnamidda-gen kunnen worden bezocht, maar waarvoor kaarten vereist zijn.

MARKELO
De landgoederen 'De Borkveld', 'Elzenerveld', 'Friezenberg', 'Kat-tenberg', 'Herikerberg' en 'Marke-lose Berg' zijn vrij toegankelijk.

HOLTEN
In de Holterberg, met zijn schit-terende vergezichten en mooie wandelpaden, is een vrij toegan-kelijk natuurreservaat gevormd. Ook het natuurreservaat 'Numen-dal' is vrij toegankelijk, evenals het landgoed 'Helhuizen'. De VVV geeft routebeschrijvingen uit.

NIJVERDAL EN HELLEN-DOORN
Omgeving met ongerept natuur-schoon. De 'Eerlerberg', de 'Ga-gelmanheuveltjes', de 'Hellen-doornse berg' en de landgoederen 'Schuilenburg' en 'Duivecate' zijn vrij toegankelijk.

OMMEN
'Kasteel Eerde' en de landgoede-ren 'Archemerberg' (22 ha), 'Eer-der Achterbroek' (289 ha), 'Bos-wachterij Ommen', het 'Ommer-bos' en 'Huis Het Laar' zijn vrij toegankelijk.
Door de prachtige omgeving van Beerze en via Mariënberg en Vroomshoop gaan we naar:

VRIEZENVEEN
Gemeente met geschiedenis. De ruïne van het kasteel 'Sibculo', en de natuurreservaten 'Kooiplas', de 'Fayersheide' en de zandafgravin-gen 'Bruinehaar' en 'Westerhaar' zijn een bezoek waard.

TUBBERGEN
Veel bos en heide in de direkte rustige omgeving met vele zeld-zame planten. In het bronnenge-bied 'Hezingen' welt nog water uit de grond. De natuurreserva-ten 'Het Springendal', 'De Geteler Haar', het 'Haarler Grafveld' en 'De Manderse Streu' zijn vrij toe-gankelijk.

OOTMARSUM
Het landschap in de omgeving biedt vele wandelmogelijkheden als o.a. door Nutter met zijn vele waterbronnen.

WEERSELO
Het natuurreservaat 'Molenven' met zijn interessante vogelkolo-nie is de moeite van een bezoek waard.

ROSSUM
Het natuur- en wildreservaat 'De Kil'.

Noord Overijssel

ZWOLLE
Dit is een stad met geschiedenis, die zeer zeker een bezoek waard is. De diverse musea, oude kerken, de oude straatjes en steegjes, en aller-lei mooie panorama's rondom de stad zijn erg aantrekkelijk.

KAMPEN
Een van de mooiste, meest be-zienswaardige steden van Neder-land, waar men een lange tijd zoek kan brengen. Vanuit Kampen kan men ook mooie tochten maken langs de IJssel. 's Avonds pronken de torens en poorten van de stad in groots licht, en heeft de stad een leuke sfeer.

GENEMUIDEN
Ideale plaats voor watersportlief-hebbers. In het natuurreservaat

'Het Zwarte Meer', een van de rijkste waterwildreservaten van W.-Europa, vindt men vele water- en weidevogels. In de stad is er echter een nadeel voor 'ketting-rokers'; in verband met de vele hooibergen mag er op de Achter-weg niet gerookt worden.

VOLLENHOVE
Oude stad met diverse beziens-waardigheden, ook in de directe omgeving.

BLOKZIJL
Vanuit dit schilderachtige stadje kan men mooie wandel- en fiets-tochten maken in de Kop van

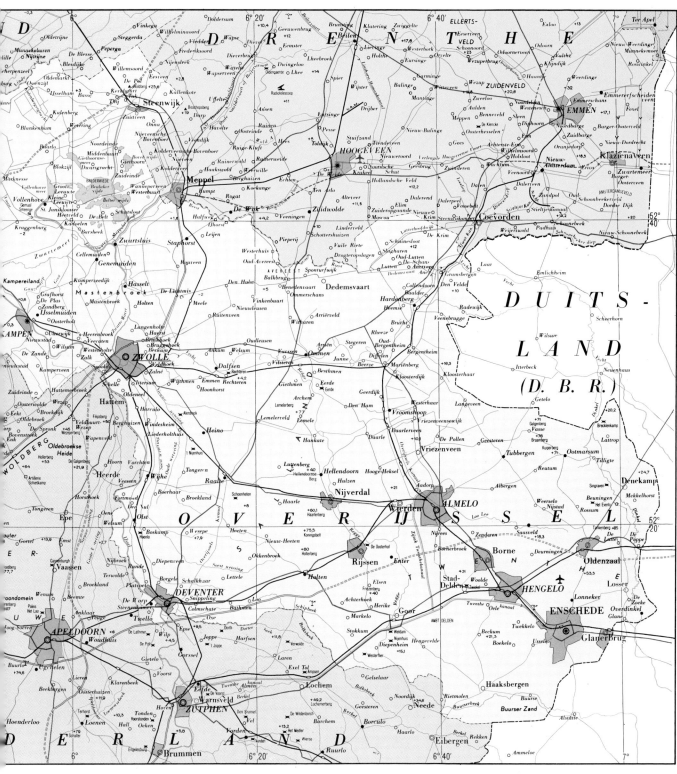

Overijssel naar Muggebeet en Giethoorn, naar Vollenhove en de Noordoostpolder, naar de Belter- en Beulakerwieden, over de Zuiderzeedijk naar Blankenham enz.

STEENWIJK

Oud historisch vestingstadje met enkele oude monumenten en andere bezienswaardigheden.

GIETHOORN

Een tocht per 'punter' is natuurlijk een van de belangrijkste attrakties. De nabijgelegen Beulaker- en Belterwieden, waar het met een flinke wind behoorlijk kan spoken, zijn een dorado voor watersportliefhebbers.

ZWARTSLUIS

Het plaatsje is een ideale stad om de vakantie door te brengen.

HASSELT

De diverse geschiedkundige gebouwen in deze plaats zijn een bezoek waard. Ook het zien van de levendige industrie op het gebied van de scheepvaart, scheepsmotoren- en lierenfabrieken, kalkbranderijen, een steenbrekerij, op- en overslagbedrijven, een baggerbedrijf e.d. maken dit stadje tot een aantrekkelijk geheel.

Waar naar toe in Overijssel

MUSEA, OUDHEIDKAMERS EN TORENS

● BLOKZIJL 17de- en 18de-eeuwse huizen aan de Bierkade en de Kerkstraat.
● BORNE Ned. hervormde kerk (15de eeuw).
● DALFSEN Kasteel Rechteren (een der oudste van Nederland), het landgoed voor een deel vrij toegankelijk; 'Huis Den Berg' (voormalige havezate uit 18de eeuw); 'In de Grutte Moole' met oudheidkamers.
● DELDEN Kasteel Twickel.
● DENEKAMP Natuurhistorisch museum 'Natura Docet'; gerestaureerde r.-k. kerk met romaans en gotisch interieur; 'Huize Singraven' (1381) met oude watermolen (15de eeuw).
● DEVENTER Museum De Waag (o.a. prehistorica) en De Drie Haringen (o.a. historisch kinderspeelgoed en kostuums); Het Brouwershuis (17de eeuw); Penninckhuis (16de eeuw); Grote of St.-Lebuïnuskerk met karakteristieke toren; stadhuis (17de eeuw); Mechanisch Speelgoed Museum, Noordenbergstraat.
● DIEPENHEIM 'Huis Diepenheim' met Franse gobelins en porselein, Kasteel 'Nijenhuis' (17de eeuw); Kasteel Warmelo.
● ENSCHEDE Ned. herv. kerk; St.-Jacobskerk; Synagoge, een der mooiste van Europa; Rijksmuseum Twenthe, o.a. wandtapijten; Twents Gelders Textielmuseum; Volkspark.
● GOOR Huize Heeckeren (16de eeuw); Ned. hervormde kerk met toren uit de 15de eeuw; Kasteel Weldam (17de eeuw); Huize Wegdam (18de eeuw).
● HARDENBERG 12de-15de eeuwse kerk; oudheidkamer Hardenberg.
● HASSELT Vispoort (14de eeuw); laat-gotisch stadhuis; Ned. hervormde kerk (15de eeuw).
● HENGELO St.-Raphaëlkerk.
● KAMPEN Nieuwe stadhuis (18de eeuw); oude raadhuis (1543); Gotische Huis; Broederkerk (15de eeuw); Broederpoort, waarin Stedelijk Museum met gildezilver e.d.; Cellebroederspoort; O.L.-Vrouwe- of Buitenkerk (14de eeuw).
● OLDENZAAL St.-Plechelmusbasiliek; Hist. Museum Het Palthehuis met verzameling wapens, kunstsmeedwerk, prehistorische vondsten.
● OLST Boerderij De Roze (1636); Ned. hervormde kerk; Huis Boxbergen; Huize Hoenlo (15de eeuw); Kasteel De Haere.
● OMMEN Kasteel Eerde.
● RIJSSEN Ned. hervormde kerk (12de eeuw).
● VOLLENHOVE Havezate Old Ruitenborgh (14de eeuw); openluchttheater; St.-Nicolaaskerk (14de eeuw); voormalig raadhuis (1621).
● VRIEZENVEEN Oudheidkamer met Russische afdeling in kelder van het gemeentehuis;

Klooster Sibculo.
● ZWARTSLUIS Natuurhist. Museum Schoonewelle met diorama's uit Zuiderzeegebied.
● ZWOLLE Sassenpoort (15de eeuw); Waalshervormde kerk (gesticht 1390, tegenwoordige gebouwtje van ca. 1500); Betlehemse kerk; stadhuis (15de eeuw); de grote of St.-Michaëlskerk (14de-15de eeuw, 16de eeuws portaal); Provinciaal Overijssels Museum in patriciërshuis; laat-gotische O.-L.-Vrouwekerk met toren 'De Peperbus'; Vrouwenhuis (1650); Broerenkerk (ca. 1500).

NATUURRESERVATEN, RECREATIE- EN/OF WANDELTERREINEN

● BLOKZIJL Natuurrijke omgeving.
● DALFSEN Het riviertje de Vecht is een waar watersportdorado, met tal van watervogels.
● DELDEN De duizenden ha. bos en wandeltuinen nabij kasteel Twickel zijn vrij toegankelijk, kasteelpark met oranjerie beperkt toegankelijk.
● DENEKAMP Vogelrijke bergvennen in het 'Lattropperveld'.
● ENSCHEDE Ongerept natuurschoon, vrij toegankelijke parken zijn o.a. het Blijdensteinpark, de Bultserve.
● GIETHOORN 'Venetië van het Noorden'; zeilsport.
● HAAKSBERGEN De landgoederen 'Huurnenbulten', de 'Haarmollebulten', 'Markslag' zijn beperkt toegankelijk en het natuurreservaat 'Het Buurserzand' is vrij toegankelijk.
● HARDENBERG Staats- en Gemeentebossen, de bossen van Ommen, natuurbos 'Het Varel' zijn uitstekende wandelgebieden.
● HOLTEN 'De Holterberg', waarin een natuurreservaat, heeft een net van wandelpaden. Het 'Smoddebosch' en het landgoed 'Stroothuizen' zijn vrij toegankelijk.
● MARKELO Vrij toegankelijk zijn o.a. de landgoederen 'De Borkeld' en 'Elzenerveld'.
● OLDEMARKT De hakhoutbossen met moerassen en rijke planten- en dierenwereld zijn uitstekend voor wandelingen. Het staatsnatuurreservaat 'Weeribben' is uniek.
● OLDENZAAL Mooie omgeving voor vele uitstapjes.
● OMMEN Het 'Ommerbos' is vrij toegankelijk.
● RAALTE Dennenbossen en heidevelden; natuurreservaat 'Het Boetelerveld' en landgoed ''t Relaer' zijn mooie wandelgebieden.
● RIJSSEN Vrij toegankelijk zijn de landgoederen 'De Brekeld' en 'Oosterhof'. Recreatiecentrum 'Bosbad de Koerbelt'.
● STAPHORST Veel natuurschoon in 'De Witte Bergen', ''t Schot' en de Staatsbossen.
● TUBBERGEN De natuurreservaten 'Het Sprin-

gendal', 'De Geteler Haar', het 'Haarler Gratveld' en de 'Manderse Streu' zijn vrij toegankelijk.
● WANNEPERVEEN Unieke binnenmeertjes als 'Het Toppenkolkien' en 'Het Fummesheuventien'.
● WIJHE Prachtig riviergezicht, en (in het voorjaar) de bloemenpracht in de bongerds.
● ZWOLLERKERSPEL Vrij toegankelijk zijn 'De St.-Agnietenberg', de landgoederen 'De Helmhorst' en 'Boschwijk'.

RONDVLUCHTEN, RONDVAARTEN, EVENEMENTEN

● BORNE Diverse folkloristische evenementen; het blazen op de midwinterhoorn in de adventstijd.
● GENEMUIDEN Het volksfeest 'Luie Motte' op 1 mei.
● GIETHOORN In dit waterrijk dorpje vormt het 'punteren' een speciale attractie.
● GOOR Het ontsteken van het paasvuur; de oudejaarsavondrondgang met de zgn. 'foekepot'.
● OLDENZAAL Paasvuren, St.-Maartensdag, Palmpasenoptocht, kermis, midwinterhoornblazen, vogelschieten.
● OOTMARSUM Centrum van de Twentse folklore, o.a. 'vlöggeln' met Pasen en midwinterhoornblazen.
● RAALTE 'Stöppelhaene' is Sallands grootste jaarlijkse oogstfeest met versierde oogstwagens.
● STAPHORST De jaarlijkse veemarkt wordt gehouden op de derde dinsdag in april.
● TUBBERGEN Wegraces.
● URK Visafslag en palingrokerijen; de merkwaardige klederdracht bestaat hier nog steeds.
● ZWOLLE Zomerse kunstmarkt met carillonconcerten op de Peperbus; verder de feestmarkt met veel toneel, opera, sport e.d.

VVV's

● Provinciale vvv Overijssel, De Werf 1, Almelo.
● Streek-vvv Twente, De Werf 1, Almelo.
● Streek-vvv West-Overijssel, Bethlehemskerkplein 35, Zwolle.
● Streek-vvv Overijsselse Heuvelrug en Salland, Marktstraat 19, Raalte.

KIJK OP
OVERIJSSEL

NOORDOOSTPOLDER

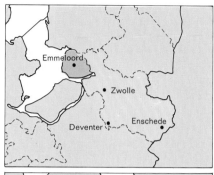

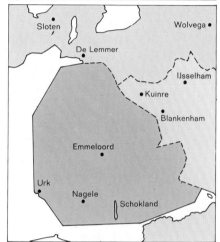

1

Het nieuwe land van de Noordoostpolder, 48000 ha groot, is tussen 1936 en 1942 drooggelegd. In de beginperiode voerde een landdrost er het beheer over. In 1959 werd de Noordoostpolder, met uitzondering van Urk, in zijn geheel een zelfstandige gemeente.

Schokland

Het voormalige eiland Schokland, nu deel van de Noordoostpolder, werd tot in het midden van de vorige eeuw nog

SCHOKLAND. *1* Interieur van het kerkje van Middelbuurt. *2* Graven uit de 8ste eeuw.

2

3

4

bewoond. Het kerkje *(1)* is nu archeologisch museum. Het ligt in Middelbuurt, een buurtschap van dit op een natuurlijke hoogte liggende eiland. De vroege aanwezigheid van een vissersgemeenschap, reeds vanaf de 8ste eeuw en daarna onafgebroken tot 1859, wordt aangetoond door graven *(2)*.

Urk

Het ontstaan van de Noordoostpolder heeft Urks bestaan als eiland beëindigd, maar in wezen is het eilandkarakter niet veel veranderd; er is nog steeds sprake

5

6

8

9

van een zeer gesloten gemeenschap. De zee levert een rijke broodwinning en de vloot in de haven *(7)* kan wat betreft de bouw der kotterschepen en materiaal voor de visvangst wedijveren met elke andere vissershaven ter wereld. Een vuurtoren is onmisbaar voor zo'n op de zee gerichte gemeenschap. Vanaf de bovenomloop heeft men een prachtig gezicht op het dorp *(6)* en de vaak grillig gelijnde straatjes met de zo op het oog als toevallige neergezette huisjes *(5)*. Het vissersmonument *(4)* gedenkt de op zee omgekomen vissers. De Ned. hervormde kerk *(10)* heeft een voor Urks strenge opvatting tamelijk speels ornament boven de ingang *(8,9)*. Traditioneel is ook de wasdag, waarbij het goed aan de lijnen boven de straatjes te drogen wordt gehangen *(3)*.

URK. *3* Achterstraatje, Wijk 3. *4* Vissersmonument. *5* Zijstraatje, Wijk 2. *6* Dorpsgezicht. *7* Gezicht op de haven. *8* Ornament aan de Ned. hervormde kerk. *9* Ingang van de Ned. hervormde kerk. *10* Ned. hervormde kerk.

Emmeloord

Emmeloord is zowel geografisch als bestuurlijk het centrum van de Noordoostpolder. Dominerend in het landschap staat hier de Poldertoren *(12)*, 65 m hoog, waar vandaan een prachtig uitzicht over de plaats en verre omtrek kan worden genoten. Rond Emmeloord liggen 10 dorpen, waarvan Nagele internationale bekendheid heeft door z'n experimentele architectonische opzet. De r.-k. kerk *(11,13)* is kenmerkend voor deze architectuur. Eveneens een bijzonderheid is de kerk in Tollebeek.

Andere bezienswaardigheden in de Noordoostpolder zijn: dé vuurtoren, die vroeger de mond van het Zwarte Water in de Zuiderzee markeerde en Kuinderburcht, een uitgegraven slotgracht en een burchtheuvel in het bosgebied nabij de Hopweg, ten zuidwesten van Kuinre, een herinnering aan de in 1165 gestichte ronde burcht van de heren van Kuinre;

voorts de kleine uitkijktoren nabij de Ramspolbrug. Vermeldenswaard is voorts de plaats Marknesse, gelegen aan de weg naar Vollenhove. In de buurt van Marknesse bevindt zich het filiaal van het Waterloopkundig Laboratorium.

EMMELOORD. *12* Poldertoren. *11, 13* R.-k. kerk in Nagele.
STEENWIJK. *14* Bevrijdingsbeeld in het park Ramswoerthe. *15* Stadswallen.

11

12

13

KOP VAN OVERIJSSEL

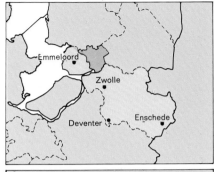

De kop van Overijssel, ook wel Noord-westhoek genoemd, duidt het noordwestelijk deel van de provincie aan, begrensd door de Noordoostpolder, Friesland en Drenthe. De zuidgrens is een denkbeeldige lijn, die even ten zuiden van Hasselt kan worden doorgetrokken. Het is voor het overgrote deel een merengebied (Beulaker- en Belterwijde) met een bijzondere flora en fauna.

14

16

Steenwijk

Steenwijk is een oude vestingstad die in de Tachtigjarige Oorlog tot tweemaal toe

een beleg van de Spanjaarden doorstond. Van de oorspronkelijke stadswallen en bastions is nog een belangrijk deel bewaard gebleven *(15)*. In het park Rams-

woerthe, eens bezit van de Steenwijkse houthandelaar Jan Hendrik Tromp Meesters, staat een bevrijdingsbeeld *(14)* ter herinnering aan de Tweede Wereldoorlog. Het beeld is een schepping van Hildo Krop, een Steenwijker van geboorte. Centraal in dit park is echter het voormalig woonhuis van Tromp Meesters *(17)*. Hij moet schatrijk zijn geweest om dit luxueuze landhuis in 1890 te hebben kunnen laten ontwerpen. De bouwstijl van die periode, de zgn. Jugendstil, kon door Tromp Meesters' rijkdom tot volle ontplooiing komen. Zo vallen prachtige glas-in-loodramen *(16,19)* aan de voorgevel op, evenals een zuiver in stijl gehouden voordeur *(18)*. Muurschilderingen in het huis hebben als thema het graan. Na de dood van Tromp Meesters heeft de gemeente Ramswoerthe aangekocht en het huis tot gemeentehuis bestemd. Steenwijk bezit nog vele historische panden met ornamenten die de toenmalige welvaart demonstreren *(20)*. Een van de aardigste plekjes is het Swindermanspoortje *(21, 22)*, de ingang van de vroegere stadstimmerwinkel, met in de nis boven het poortje het Swindermanneghien. Swinderman was in de 17de

STEENWIJK. *16* Glas-in-loodraam aan het gemeentehuis. *17* Gemeentehuis. *18* Ingang van het gemeentehuis.

20

eeuw een rijke burger van Steenwijk, die
het aan zijn status verplicht achtte om
deze door de bouw van een armenhuis te
laten blijken. Het poortje was de ingang
van het hofje. Het Waaggebouw *(27)*
dateert uit 1642 en heeft rijke ornamenten
aan de gevel *(24, 25, 26)*. Dominerend in
de stad is de Grote of St.-Clemenskerk,
daterend uit de 14de eeuw. Er is meer dan
een eeuw aan deze kerk gebouwd. In
1467 werd de eerste steen gelegd voor de
bouw van de toren die pas in 1511 was
voltooid. Rond 1910 is de toren gerestaureerd en voorzien van een bijna 90 m

STEENWIJK. *19* Glas-in-loodraam aan het gemeentehuis. *20* Gevelornament anno 1650, Kerkstraat 1. *21* Swindermanspoortje in de Schoolstraat.
22 'Swindermanneghien' boven het Swindermanspoortje. *23* Ornament Kalverstraat 11.

21

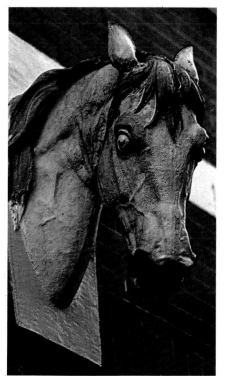

24

25

hoge, spitse toren met vier fijne hoekto-
rentjes *(29)*. Van het interieur valt op een
prachtig net- en stergewelf. Naast deze
aan de stadspatroon gewijde driebeukige
hallenkerk dient nog genoemd te worden
de Onze-Lieve-Vrouwekerk uit 1477, de
Kleine Kerk genoemd, ter onderscheiding van de St.-Clemens.

Steenwijkerwold

Het gebied van de vroegere gemeente
Steenwijkerwold, met zijn talrijke dorpen en buurtschappen een ca. 9000 inwoners tellende gemeenschap, ligt rondom

STEENWIJK. *24, 25, 26, 27* Ornamenten aan het
Waaggebouw.

28

30

29

31

de stad Steenwijk, en maakt hier thans deel van uit. In Steenwijkerwold, vroeger Kerkbuurt, staat een laat-gotisch kerkje met een houten torentje *(30)*. Verrassend is in het interieur een rijk gebeeldhouwde preekstoel uit ca. 1700 *(31)*. Steenwijkerwolds omgeving leent zich tot het maken van wandelingen, o.a. naar het gebied van de Woldberg en het 1000 ha grote landgoed de Eese *(32)*.

STEENWIJK. *28* St.-Clemensbeeld aan de St.-Clemenskerk. *29* Toren van de St.-Clemenskerk. STEENWIJKERWOLD. *30* Ned. hervormde kerk. *31* Detail van de preekstoel in de Ned. hervormde kerk. *32* Jachthuis De Eese.

32

gewijde bestemming ervan aan, maar bij de eerste aanblik denkt men eerder aan een boerderijtje dan aan een kerk. Het schip ervan is opgetrokken als een Overijsselse boerendeel.

Oldemarkt

In een voor West-Europa uniek natuurgebied ligt Oldemarkt, nu deel uitmakend van de gemeente IJsselham. Het ontstond als nederzetting van handelaren, handwerkslieden en schippers. Een

PAASLO. *33* Ned. hervormde kerk. OLDEMARKT. *34* Veerhuis. *35* Ned. hervormde kerk.

34

Paaslo

De buurtschap Paaslo vormt met Oldemarkt, Kuinre en Blankenham de gemeente IJsselham. Het was destijds hoofddorp van de voormalige gemeente Oldemarkt. In 1437 namelijk ontstond door toedoen van de Utrechtse bisschop in Paaslo een markt, waar vele Friese kooplieden hun koopwaar naar toe brachten. Zo belangrijk was deze nieuwe handelsplaats, dat ter onderscheiding de al bestaande markt met Oldemarkt werd aangeduid. Paaslo bezit een van de merkwaardigste kerkjes van ons land *(33)* uit het begin van de 16de eeuw. Het ligt op een door hoge bomen omsloten terrein en is vanaf de weg niet zichtbaar. Grafstenen rondom het gebouwtje duiden de

35

oud veerhuis *(34)* herinnert aan de waterweg via Linde en Marktsloot, die Friese
kooplieden gebruikten voor de aanvoer
van hun handelswaar. Vooral de boter-
markt was er zeer belangrijk. In een tijd
waarin de landwegen slecht en onbe-
trouwbaar waren, werd het dorp door
een vaart — het zgn. Mallegat — verbonden met het riviertje de Linde, dat zich op
een afstand van enkele honderden meters
door de weilanden slingert. Het begin
van de vaart deed dienst als haventje. Tot
in de jaren veertig bleef zij in gebruik,
daarna trad verval in en ten slotte, in
1965, werd zij gedeeltelijk gedempt. De
Ned. hervormde kerk *(35)* dateert uit
1648, toen Oldemarkt als marktcentrum
bloeide. Op een zekere welstand duiden
enige huizen uit diezelfde periode. Het
pand in de Hoofdstraat heeft een dubbele
trapgevel *(36, 37)*. Oldemarkt is in onze
tijd vooral van grote betekenis voor
natuurliefhebbers. In de trilvenen, rietvelden en moerasbossen van dit gebied

OLDEMARKT. *36, 37* 17de eeuwse trapgevels,
Hoofdstraat 96.

36

37

38

40

39

leven reeën, visotters, kiekendieven, roerdompen, velduilen en tal van andere vogels.

Kuinre

Kuinre was oorspronkelijk een bolwerk, de zgn. Kuinder Schans, aan de monding van de Kuinder of Tjonger, met veel scheepvaart van en naar Friesland. Het bezat toen een drukke haven, die echter alle betekenis verloor na de drooglegging

KUINRE. *38* Toren van het voormalig gemeentehuis. *39* Ornament aan het voormalig gemeentehuis. *40, 42* Gevelornamenten H. de Cranestraat 77. *41* Voormalig gemeentehuis. BLANKENHAM. *43* Hoogwaterkanon aan de Zeedijk.

41

42

van de Noordoostpolder. De bevolking schakelde over op agrarische bedrijven, vooral veeteelt en hooibouw. De Kuinder of Tjonger en een ander riviertje, de Linde, lopen vrijwel parallel door het dorp. Het dorp trok een tamelijk druk scheepvaartverkeer aan. Het werd typisch een uitvalspoort naar het westen en een invalspoort naar het noorden. Turf die in het achterliggende veengebied gebaggerd werd, werd naar het westen verscheept. Meestal lag het haventje dan ook vol tjalken. Soms moest op gunstige

wind voor de oversteek naar Amsterdam worden gewacht. Kuinre, nu een klein dorp van ca. 1000 inwoners heeft in de loop der eeuwen heel wat gevechten moeten doorstaan in het gebied van roofridder Henric de Crane, die er een burcht bouwde. Overblijfselen ervan werden bij de drooglegging van de Noordoostpolder in het zgn. Kuinder Bos teruggevonden. Tot zijn inlijving bij de gemeente IJsselham gebruikte Kuinre de oude Boterwaag uit 1776 als gemeentehuis (41). Een speels houten klokketorentje (38)

bekroont een tamelijk strenge gevel. In de bloeitijd van handel en scheepvaart lieten welgestelde Kuinrenaren huizen bouwen, waaruit hun welvaart bleek. Zo staan in de Henric de Cranestraat enkele door hun gevelornamenten opvallende koopmanshuizen (40,42).

Blankenham

Blankenham is ook een Zuiderzeedorp, dat aan een inham is gelegen. Hoewel het is samengevoegd met naburige dorpen, behoudt het toch een eigen leefklimaat. De ca. 500 inwoners zijn in grote meerderheid protestant en vormen een enigszins gesloten gemeenschap. Een hoogwaterkanon (43) op de nu overbodige Zeedijk van Kuinre naar Blokzijl herinnert aan stormen en dijkbreuken (o.a. in 1825). Dreigde er gevaar, dan werd de bevolking door de dijkbewaking gewaarschuwd en voorbereid op evacuatie. Bij hoog water vuurde men twee schoten af, met drie schoten werd gewaarschuwd dat het water tot aan de dijkrand stond. De meest bedreigde plek in de dijk was bij Blankenham, wat nu nog bewezen wordt door de vele bochten van de Kuinder Dijk. Deze ontstonden omdat na iedere doorbraak een nieuwe lus rond de zwakke plek moest worden gelegd. Ook deze gemeenschap heeft natuurlijk een hervormde kerk (45). Het fraaie, ranke gebouw, daterend uit 1892, heeft een spits toelopend torentje. Het gietijzeren kanon bij Blankenham is een zgn. twaalfponder.

43

Het werd in 1817 in de beroemde wapen-fabriek van Luik gegoten. In de loop der jaren zijn grote aantallen twaalfponders vervaardigd, want zij vertegenwoordig-den het meest gangbare type kanon, dat in het begin van de vorige eeuw in gebruik was. Nog enkele exemplaren zijn tamelijk goed bewaard. Een ervan is het vrijwel onbeschadigde kanon in Blan-kenham dat, rustend op een ouderwets houten rolpaard, ook nu nog schoten zou kunnen afvuren.

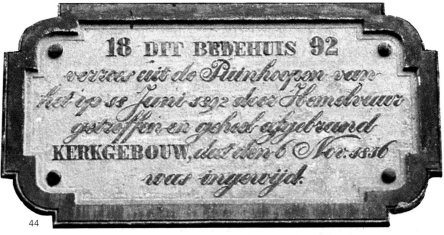

44

46

Blokzijl

De drooglegging van het gedeelte van de Zuiderzee dat nu Noordoostpolder heet, heeft ook Blokzijl van een rechtstreekse verbinding met het buitenwater voor-zien. Via het Vollenhovermeer, het Zwartemeer en het Ketelmeer kunnen schepen nog altijd het IJsselmeer berei-ken. Blokzijl heeft zijn zgn. Gouden Eeuw beleefd als scheepvaartcentrum en

BLANKENHAM. *44* Opschrift aan de Ned. her-vormde kerk. *45* Ned. hervormde kerk. *46* Ingang van de Ned. hervormde kerk.

45

handelsplaats. Een vissersplaats is het nooit geweest. De havenkom lijkt te groot, maar bewijst aan een snel groeiend watertoerisme grote diensten. Rondom de haven, aan de Bierkade, staan mooie 17de-eeuwse hals- en trapgevels *(47)*. De vereniging Hendrick de Keyser restaureert in Blokzijl een groot aantal van deze woningen, om het karakter van het unieke stadje te behouden, want Blokzijl is een vestingstadje binnen een oude, veelhoekige forteresse. Hoewel de vestingwerken begroeid zijn, is hun vorm nog duidelijk te onderscheiden. Het kanon aan de haven *(48)* heeft overigens met

BLOKZIJL. *47* Gezicht op de Bierkade. *48* Kanon aan de haven.

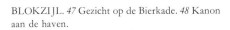

48

49

deze verdedigingswerken niets te maken. Het dateert uit 1813 en heeft vermoedelijk dienst gedaan als hoogwaterkanon. De forteresse werd in 1581 aangelegd en dadelijk werd Blokzijl met zijn beschermde binnenhaven een uiterst belangrijke uitvals- en verdedigingspost. Tijdens de Tachtigjarige Oorlog was het een belangrijke garnizoensplaats voor de Staatse troepen. De Hollandse invloed spreekt duidelijk uit de gevels *(50, 51, 52)*, die in bouwstijl aan de Amsterdamse grachthuizen herinneren. In het beruchte rampjaar 1672 nam de burgerij van Blokzijl een moedige houding aan ten opzichte van de Munsterse bezetting. Stadhouder Willem III beloonde die moed door stadsrechten te verlenen. De invloed van vooral Noordholland bleef

BLOKZIJL. *49* Gevelsteen aan de Bierkade. *50, 51* Gevels aan de Bierkade. *52* Gevels aan de Kerkstraat.

50

51   52

53

steeds in Blokzijl merkbaar: levering van krijgsvolk en rechtszaken vielen onder verantwoordelijkheid van Noordholland en ook de predikant werd door Noordholland betaald. Het stadje kreeg er iets tweeslachtigs door: half Hollands, half Overijssels. Het contact met Noordholland maakte het leefklimaat in Blokzijl liberaal van inslag. Vooral de doopsgezinden voelden zich er thuis. Een garnizoensstad diende uiteraard een garnizoenskerk te hebben. In 1609 werd een zaalkerkje *(54)* gebouwd, maar al spoedig maakte het kerkbestuur plannen voor uitbreiding in de vorm van een Grieks kruis. Gelden voor de bouw werden met toestemming van de Overijsselse Staten verkregen door een loterij en toen er toch nog een tekort was werd dit met een heffing op de bierverkoop gedekt. De toren kwam pas in het midden van de 17de eeuw gereed.

Vollenhove

De naam van het voormalig Zuiderzeestadje Vollenhove komt al in 944 voor op een giftbrief van keizer Otto de Grote aan bisschop Balderic van Utrecht. Het betrof een jachtprivilege op de woeste gronden van Fulnaho, dat vermoedelijk Vogelenhof betekent. Vollenhove is altijd een belangrijk bestuurscentrum geweest voor noordwestelijk Overijssel. Door de bisschoppelijke invloed werd het echter ook een religieus en cultureel centrum voor het noorden. Er is met grote allure gebouwd, zodat bijvoorbeeld het voormalige raadhuis uit 1621 een paleisachtige façade kreeg met een

BLOKZIJL. *53* Gevelsteen aan de Ned. hervormde kerk. *54* Ned. hervormde kerk.

55

56

57

open Toscaanse zuilengaanderij *(57)*. Er moet hier wel van 'voormalig' worden gesproken, omdat juist in dit gedeelte van Overijssel veel kleine gemeenschappen tot grotere bestuurseenheden zijn samengevoegd. Vollenhove is nu centrum van zo'n bestuurseenheid, maar het stadhuis wordt als zodanig niet meer gebruikt; het is thans tot hotel verbouwd. Hoe weelderig er in Vollenhoves glorietijd is gebouwd, tonen de rijk geornamenteerde gevel met balkon *(55)* en de vele in steen gehouwen wapenschilden *(56)*. Zelfs een simpel poortje nabij het gebouw kreeg een rijk ornament toebedeeld *(58, 59)*. Vaak komen dergelijke ornamenten ook voor aan gevels van woonhuizen *(60)*. Tegenover het vroegere raadhuis staat de voormalige Latijnse School met een interessante trapgevel uit 1627 *(61)*. De school, aanvankelijk een deel van een klooster, was een centrum van studie en cultuur voor het gehele noorden. Na een zorgvuldige restauratie heeft het gebouw nu een bestemming als bibliotheek. Keizer Karel V bestemde Vollenhove tot residentie van zijn eerste stadhouder over Groningen, Drenthe en Overijssel. Deze hoge machthebber, George Schenk, liet tussen 1534 en 1552 een kasteel bouwen en gaf het de

VOLLENHOVE. *55, 56, 57* Voormalig raadhuis. *58* Poortje met ornament *(59)* nabij het voormalig raadhuis. *60* Ornament Bisschopsstraat 52. *61* Gevel van de voormalige Latijnse School.

58

59

60

naam Toutenburg. Als vesting had het geen betekenis, want de muren waren nog geen meter dik. In 1810 begonnen slopers met de definitieve afbraak van het toen al bouwvallige kasteel. Wat overbleef waren de slotgracht en wat brokstukken van twee ronde torens (62). Er

61

stadsbeeld beheerst: de bisschoppelijke burcht of wel 'Het Olde Huys', dan de forse Grote Kerk en ten slotte George Schenks residentie Toutenburg. Wat aan ruimte restte tussen kerk en kasteel werd gebruikt om er nog een aan Onze-Lieve-Vrouwe gewijde kerk te bouwen, ter onderscheiding van de St.-Nicolaaskerk als Kleine Kerk aangeduid. Men begon de bouw van dit betrekkelijk sobere bedehuis in 1435 en verhoogde de klokketoren *(64)* in de 19de eeuw met een vierkante geleding en een achtkantig kapje. Andere bezienswaardigheden in Vollenhove zijn de vroegere havezate Marxveld, aan de Bisschopsstraat, en het aardige 18de-eeuwse huis Oldenhof met een park eromheen en op een weitje daarbij een ouderwetse houten duivenslag. Wie door het stadje wandelt zal bovendien enkele mooie oude geveltjes ontdekken. De landerijen in het landelijke gedeelte van de gemeente zijn dikwijls bijzonder mooi omzoomd door begroeide houtwallen, die door het gemeentebestuur extra worden beschermd.

VOLLENHOVE. *62* Ruïne Toutenburg in het park Old Ruitenborgh *63* Detail van de Grote of St.-Nicolaaskerk. *64* Kleine of O.-L.-Vrouwekerk. *65* Grote of St.-Nicolaaskerk.

wordt beweerd dat het puin van Toutenburg diende om de havezate Old Ruitenborgh te restaureren. In deze havezate is tegenwoordig het bestuurscentrum van Brederwiede, de samenvoeging van eertijds zelfstandige gemeenten, gevestigd. Vollenhove is vooral uniek omdat kerk en stadhuis er één groot complex vormen. Dit geschiedde niet volgens een vooropgezet plan. De Grote of St.-Nicolaaskerk *(65)* is een laat-gotische, tweebeukige hallenkerk uit de 14de eeuw, waarvan de beuken door slanke zuilen zijn gescheiden. De korte bakstenen toren, die geheel vrijstaat, werd in de 16de eeuw aan het complex toegevoegd. In 1621 bouwde men daarnaast weer het toenmalige stadhuis. Opvallend is dat al deze bouwstijlen zo voortreffelijk met elkaar harmoniëren. Fraai is een detail van de Grote Kerk: een rijkversierd venster met openslaande luiken *(63)*. In het verleden hebben drie gebouwen het

64

65

67

Wanneperveen

Aan de Beulaker- en Belterwijde ligt het langgerekte streekdorp Wanneperveen. Beide grote plassen maken het dorpje tot een centrum van watersport. De eendenkooi 'Bakkerskooi' is een natuurmonument. Het Schultenhuis *(66, 67, 68)* — uit 1612, is fraai gerestaureerd.

66

69

Giethoorn

Giethoorn *(70)* heeft een eigenaardige aanleg: een vaart met veel dwarssloten, smalle paden en talloze bruggetjes. Het dagelijks verkeer geschiedt te water in een punter *(71)*, een bootje dat behendig met een lange stok wordt voortgeduwd. Daarom zijn de bruggetjes allemaal zo hoog opgetrokken *(69)*. Er is nog veel agrarisch bedrijf als veehouderij, hooi- en riethandel. Daarnaast bloeit het toerisme. De oude klederdracht is er zo goed als verdwenen.

WANNEPERVEEN. *66, 67* Deur van het Schultenhuis. *68* Schultenhuis aan de Veneweg. GIETHOORN. *69* Brug aan de Beulakerweg. *70,71* Dorpsgezicht.

68

IJSSEL- EN VECHTSTREEK

De IJssel- en Vechtdelta is een typisch agrarisch gebied, beheerst door twee steden: Zwolle en Kampen. Zwolle is de zetel van het provinciaal bestuur. Kampen krijgt sinds de grote inpolderingen en de winning van nieuwe gronden een steeds belangrijker taak.

Zwartsluis

Zwartsluis is ontstaan bij de uitmonding van het Meppelerdiep in het Zwarte Water. Het stadje ontwikkelde zich tot

ZWARTSLUIS. *72* Toren van de Ned. hervormde kerk. *73* Snijraam in Nieuwsluis, Nieuwesluis 2. *74* Westeinde 7, 9 en 11.

een belangrijk scheepvaartcentrum en is thans erg in trek bij de watersportbeoefenaars. In de Ned. hervormde kerk *(72)* staat een preekstoel uit 1683.

Genemuiden

Iets ten zuidwesten van Zwartsluis ligt het om zijn mattenvlechters vermaarde stadje Genemuiden. Wie Genemuiden binnenkomt ziet hier nog verschillende boerderijen met hooibergen in de stad staan, met name aan de Achterweg *(75)*, waar nog het 'Rookverbod' geldt.

GENEMUIDEN. *75* Achterweg. *76* Gevelsteen aan de Westerkade. HASSELT. *77* Gevelsteen Ridderstraat 24, *78* Gevelsteen Hoogstraat 24. *79* Gezicht op Hasselt.

75

76

77

78

79

Hasselt

Hasselt ontstond als nederzetting in de 9de eeuw, op de plaats waar de Vecht en een vroegere IJsselarm (nu het Zwarte-meer) samenvloeiden. Het was een be-langrijke overlaadplaats, die ook wel-vaart heeft gekend. Vooral de fiere toren van de Ned. hervormde kerk *(79, 84)*, vroeger aan St.-Stefanus gewijd, geeft Hasselt allure. Deze laat-gotische in steen overwelfde hallenkerk is gebouwd nadat in 1380 het eerste kerkje door brand

HASSELT. *80* Toren van het stadhuis. *81* Prinsen-gracht. *82* Zijkant van het stadhuis. *83* Vispoort. *84* Ned. hervormde kerk. *85* Kerktoren te Wilsum.

verloren ging. Aan het Zwarte Water ligt de Vispoort *(83)*, met aan weerszijden nog resten van de 14de-eeuwse vesting-muur. Door het hele plaatsje verspreid zijn tal van 17de-eeuwse gevels te zien, vooral langs de schilderachtige Prinsen-gracht *(81)*. Ook in het stadhuis *(82)* weerspiegelen zich de trots en welvaart uit vroeger eeuwen. Het is een laat-gotisch gebouw, waarvan een gedeelte in 1500, een ander deel in 1550 moet zijn gebouwd. Dit laatste is rijker van archi-tectuur dan het vroegere, westelijke deel. Het torentje heeft een merkwaardige spits *(80)*, waarin een bolvorm is ver-werkt. Het nabijgelegen kerkdorp Wil-

89

90

91

92

S'MENSCHEN LEVEN IN
DES 3 TIT IS GESTADI
NIET · DAN · STRIDT
16 74

93

sum bezit een van de oudste romaanse kerken van ons land. Deze is uit de 10de of 11de eeuw met uitzondering van het koor, dat uit de 15de eeuw dateert. De toren *(85)* is zwaar en lijkt een deel van een middeleeuwse burcht.

Kampen

Kampen ligt op de linkeroever van de IJssel, enkele kilometers van de plaats waar deze in het Ketelmeer uitmondt. Het was al in de 13de eeuw een belangrijke handelsstad; vooral de haringvangst bracht rijkdom. Als lid van de Hanze was Kampen vaak zeer eigenzinnig: een bewijs dat het zich zeer van zijn macht bewust was. Vóór alles was het een echte waterstad, die ook in onze dagen van over de rivier dient te worden bekeken *(88)*. Belangrijk voor een zo fiere stad als Kampen was uiteraard het Raadhuis. Er is vrij zeker tegen het midden van de 14de eeuw met de bouw begonnen. Zoals vaak met deze bouwwerken, is het in de loop

KAMPEN. *86* Gevelsteen Oudestraat 119. *87* Gevelsteen Buitennieuwstraat 4. *88* Stadsgezicht. *89* Beeldengroep aan het Oude Stadhuis. *90* Gevelsteen Bovennieuwstraat 109. *91* Ornament aan het Oude Raadhuis. *92* Gevelsteen Bovennieuwstraat 23. *93* Toren van het Oude Raadhuis met daarachter de Nieuwe Toren *(94)*.

88

94

der eeuwen veranderd en vergroot. Een brand in 1543 teisterde het oudste deel. Juist dit zgn. Oude Raadhuis, of wat ervan overbleef na de brand, is het interessantste deel van het complex. Het is laatgotisch van architectuur met een ui-vormige torenspits aan de rivierzijde *(93, 94)*. De zes oud aandoende beelden in de voorgevelnissen *(89)* zijn het bewonderenswaardige werk van Johan Polet, die ze tussen 1933 en 1938 heeft vervaardigd en daarbij een zeldzaam zuiver begrip toonde voor de stijl van het oude gebouw. Het interieur heeft o.a. een prachtige renaissanceschouw in de Schepenzaal. Deze door Colyn de Nole gebeeldhouw-

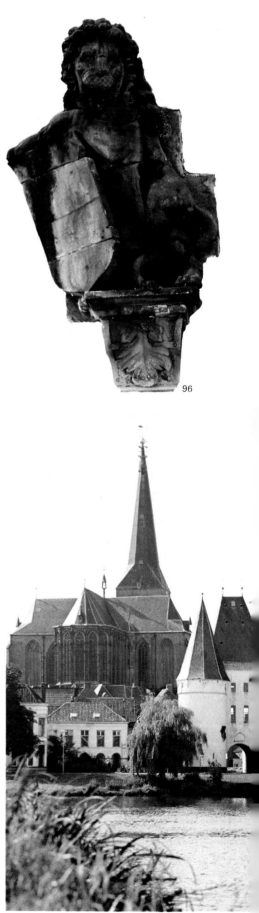

96

95   97

de schouw behoort tot de rijkste voorbeelden van renaissancistische interieurkunst. Kampen bezit nog een ander laatgotisch huis, Oudestraat 158, daterend uit omstreeks 1500. Het heeft een merkwaardige, geheel uit natuursteen opgetrokken voorgevel, met uitermate grote vensters. Het werd tussen 1907 en 1909 gerestaureerd. Helaas is het geboortehuis van de familie Avercamp (17de eeuw), een apothekersfamilie, nu vervangen door een moderne apotheek. Hier werkte en leefde de doofstomme schilder Hendric Avercamp. Schuin ertegenover, Burgwalstraat 119, weer een mooi geveltje, waarachter vroeger het 'Vleishuus' schuilging. Kampen heeft eens 21 poor-

KAMPEN. *95* Koornmarktpoort. *96* Beeld aan de Koornmarktpoort. *97* Gezicht op de Koornmarktpoort en de St.-Nicolaaskerk. *98* t/m *101* Cellebroederspoort.

ten bezeten, die toegang gaven tot de stad. Hiervan zijn er nog drie gespaard gebleven. Het meest opvallend is de witte Koornmarktpoort *(95)* aan de IJsselkant. Het is een rechthoekig poortgebouw, vermoedelijk uit de 14de eeuw daterend en in ca. 1380 voorzien van twee gedrongen ronde torens op de buitenhoeken. De pas in 1848 gewitte poort ligt aan de Koornmarkt, in feite aan de voet van de St.-Nicolaaskerk *(97)*. Een beeld met wapenschild *(96)* dient als ornament van de al door zijn prachtige lijnen opvallende poort. Het oudste gedeelte van

104

logische hogescholen en zeven kerken. Een hiervan is de kerk aan de Burgwal *(102)*, met een imposante, door zuilen verfraaide ingang en een bij een bijna pompeuze façade wat simpel aandoend torentje *(103)*. De hervormde Broederkerk, onderdeel van het voormalige Min-

derbroedersklooster, bestaat uit twee even hoge, even brede en op gelijke wijze gesloten beuken, gebouwd tussen 1473 en 1490. De Broederpoort *(104, 105, 106)* ligt evenals de Cellebroederspoort bij de plantsoengordel. De beroemde tuinarchitect Zocher heeft die plantsoenen

Kampen werd vroeger omsloten door een gracht, die de Burgel wordt genoemd. De Cellebroederspoort *(98, 101)* behoorde al tot die uitbreiding. Deze heeft ook weer een rechthoekig poortgebouw, geflankeerd door twee torens. Maar in tegenstelling tot de veel strakkere Koornmarktpoort, heeft de Cellebroederspoort iets feestelijks door zijn renaissance-ornamentiek *(99, 100)*. In 1617 heeft Thomas Berendsz, de architect, de gehele poort in renaissancestijl gemoderniseerd. Kampen heeft twee theo-

KAMPEN. *102, 103* Kerk aan de Burgwal. *104 t/m 106* Broederpoort.

106

105

eertijds aangelegd. De poort heeft de klassieke vorm, daterend uit 1465, werd in 1615 ook weer door Thomas Berendsz in renaissancestijl verbouwd en bezit nu vier slanke hoektorens, gedekt door hoge spitsen. De poort is nu Stedelijk Museum, dat een interessante verzameling kunst en op de lokale historie betrekking hebbende voorwerpen biedt. Het belangrijkste kerkgebouw in Kampen is de St.-Nicolaaskerk *(108)*, ook wel Bovenkerk genaamd. Deze geheel in steen overwelfde kruisbasiliek, met een toren waar-

107

109

van het oudste gedeelte uit de 2de helft van de 13de of begin 14de eeuw stamt, vormt een hoogtepunt in de Nederlandse gotische bouwkunst. Als vaststaand

KAMPEN. *107, 109* Ingang van het voormalig Weeshuis. *108* St.-Nicolaaskerk. ZWOLLE. *110* Hoofdwacht bij de St.-Michaëlskerk. *111* Thorbeckegracht 78. *112* Noordzijde van de Grote of St.-Michaëlskerk.

108   110

wordt aangenomen dat vóór 1345 met de bouw is begonnen. De toenmaals in Kampen wonende Rutger van Keulen, waarschijnlijk een zoon van de bouwmeester van de Keulse Dom Michaël, is in 1369 begonnen met de bouw van het zeer slanke, weelderige hoogkoor. Hoe rijk de Hanzestad Kampen is geweest vóór de verzanding van de IJsselmonding bewijst de ornamentering van bijvoorbeeld het voormalige weeshuis (107, 109).

Zwolle

Zwolle, Overijssels hoofdstad, ligt aan het Zwarte Water tussen Vecht en IJssel. In 1040 duikt de naam Suol op, hetgeen watervrije plaats betekent. De kleine nederzetting Suol lag op een belangrijk

111

verkeersknooppunt en groeide snel. In 1230 verwierf de gemeenschap stadsrechten van bisschop Willebrand van Oldenburg. Het verbond zich met de machtige Hanze en was gedurende lange tijd in de eerste plaats marktstad. Daarom is het zo merkwaardig dat Zwolle toch de goede atmosfeer bezat voor wetenschap en kunst (Thomas Cele, Thomas a Kempis, Potgieter, Rhijnvis Feith) en voor politiek (Thorbecke); onder de burgerij telde het in de 17de eeuw de legendarisch geworden rekenmeester Willem Bartjens. Pronkstuk van de stad is de Grote- of St.-Michaëlskerk (112). De huidige grote, driebeukige hallenkerk kwam kort na 1450 gereed. De Zwollenaren koesterden heel lang het ideaal een der hoogste kerktorens van ons land te zullen bezitten. In 1404 werd met de verbouwing in laat-gotische stijl van de veel oudere romaanse kerk begonnen, maar branden brachten herhaaldelijk grote schade en in 1682 stortte, wat er toen nog stond, in elkaar. Men heeft toen op die plek in 1688 een verhoogde achtzijdige consistoriekamer laten bouwen. Het interieur van de kerk maakt een grootse indruk. De overdadig weelderig gesneden preekstoel is een werkstuk van Adam Straes uit Nassau-Weilburg, die er van 1617 tot 1622 aan werkte. Het vermaarde orgel werd tussen 1719 en 1721 door de Ham-

112

113

114

'T VEER SCHIP OP UTRECHT

115

B.B.B.

116

117

118

119

120

burgers George en Franz Caspar Schnitger gebouwd. In de kerk bevindt zich het graf van de Zwolse schilder Gerard Terborch. Tegen de noordzijde van de kerk staat links van het 16de-eeuwse uitgebouwde kerkportaal de Hoofdwacht van 1614 *(110)*. De Kamper architect Thomas Berendsz ontwierp deze in de weelderige bouwstijl die hem zo eigen was. Aan de Thorbeckegracht 11 staat het woonhuis van de grote staatsman, wiens invloed op ons staatsbestel, door zijn grondige aanpassing van de Grondwet aan de toenmalige liberale levensopvattingen, nog altijd

ZWOLLE. *113* Thorbeckegracht 57 e.v. *114* Thorbeckegracht 17. *115* Gevelsteen Thorbeckegracht 41. *116* Ornament Thorbeckegracht 17. *117* Thorbeckegracht 78. *118* Thorbeckegracht 50. *119* Thorbeckegracht 61. *120* Gezicht op de Thorbeckegracht. *121* Thorbeckegracht 41. *122* Detail hekwerk Thorbeckegracht 78.

122

121

124

125

merkbaar is. Overigens is de gehele Thorbeckegracht zeer de moeite waard. Want aan deze schilderachtige gracht rijen zich de fraaie, vaak rijk versierde gevels aaneen *(111, 113 t/m 122)*. Vele gevelstenen duiden het bedrijf aan dat in het huis werd uitgeoefend, zoals "t Veerschip op Utrecht' *(115)*, dat de woning geweest kan zijn van een beurtschipper. In die tijd lag de enige mogelijkheid om zijn welvaart te tonen in het versieren van de gevel. En er waren toen bouwmeesters als Vingboons, de grachtenbouwer van Amsterdam, die een hele school van architecten voortbracht. Daarvan heeft Zwolle ten volle geprofiteerd. Van de middeleeuwse stadsversterking is de Sassenpoort *(123)* het meest indrukwekkende overblijfsel. Deze stadspoort uit 1409 heeft twee hoektorens die van een ronde in een achthoekige vorm overgaan, met daartussen de 'mezekouw' *(126)* met werpgaten voor kogels, pek of kokende olie om belegeraars af te weren. Enkele stenen ornamenten sieren de hoektorens op *(124, 125)*. De Sassenpoort doet nu dienst als Rijksarchief. Verdere overblijfselen van de vroegere verdedigingswerken bevinden zich nog langs de Thorbeckegracht. Het zijn, aan de grachtzijde, twee zware halfronde 15-de eeuwse muurtorens, nu nog als pakhuizen in gebruik, en een versterking die uit ongeveer 1230 stamt. Dat steden als Hasselt, Kampen en Zwolle over dergelijke indrukwekkende verdedigingswerken beschikten, toont aan dat de heersers over

ZWOLLE. *123* t/m *126* Sassenpoort.

126

dit gebied, de bisschoppen van Utrecht, zich nooit geheel zeker voelden van hun bezit. Ook de steden onderling kenden hun veten en zijn vaak tegen elkaar ten strijde getrokken. Dat de Zwollenaren de bijnaam 'Blauwvingers' kregen, hebben zij te danken aan het feit dat zij meinedig werden aan hun landheer. In 1521 zwoeren zij namelijk trouw aan de Hertog van Gelre. Het huis Sassenstraat 33 draagt de naam Karel V-huis. Maar de gevel is in de top duidelijk gedateerd 1571, zodat de keizer er nooit ook maar één nacht kan hebben geslapen. Het huis dankt de naam aan het gekroonde keizershoofd in de top van de zeer fraaie volutengevel. De Melkmarkt is ook overdadig voorzien van prachtige gevels, zoals bijv. op nummer 49 *(130)*; nummer 10 *(131)* van deze pralende rij dateert uit 1500 en toont in de zandstenen gevel nog duidelijk gotische invloeden. Het Vrouwenhuis van Melkmarkt 53 *(132)* dateert uit 1650. De regentenkamer bevat enkele 17de-eeuwse schilderijen, een andere kamer van het huis mooie tegelplateaus. De gevel heeft helaas zijn top verloren. Zeer fraai is het huis Melkmarkt 14 *(133)* met zandstenen griffioenen en dolfijnen. De zgn. Vingboonsschool komt in deze gevel weer duidelijk tot uiting. Voortdurend zijn er treffende overeenkomsten met de Amsterdamse grachthuizen. Het huis Melkmarkt 41, nu Provinciaal Mu-

ZWOLLE. *127* Karel V-huis, Sassenstraat 33. *128, 129* Gevelstenen Karel V-huis. *130* Gevel Melkmarkt 49. *131* Melkmarkt 10. *132* Vrouwenhuis, Melkmarkt 53. *133* Geveltop Melkmarkt 14.

127

128

129

130

131

132

133

134

135

136

137

138

139

140

141

142

seum *(137)*, dateert, wat de gevel met de ellipsvormige vensterbogen betreft, uit het begin van de 16de eeuw. De kroonlijst met rijkgesneden rococo-balustrade wordt rond 1740 gedateerd. In de lijst zijn een aantal wapenschilden verwerkt *(134, 135)*. In de Luttekestraat 12 staat een huis uit 1609 *(142)* met als versiering ronde togen en vlechtingen.

Overigens gevelstenen te over, elk zijn eigen verhaal uitbeeldend: familiewapen of beroep *(136, 138 t/m 141)*. Soms zijn

ZWOLLE. *134, 135* Details van de gevel van het Provinciaal Museum. *136* Gevelsteen Buitenkant 7. *137* Provinciaal Museum, Melkmarkt 41. *138* Gevelsteen Van Nahuysplein 1. *139* Gevelsteen Grote Markt 5. *140* Gevelsteen Kerkstraat 2. *141* Gevelsteen Thomas a Kempisstraat 38. *142* Luttekestraat 12.

143

144

145

146

147

148

deze ornamenten pas te begrijpen na bestudering van de plaatselijke historie of een eventueel bestaand familiearchief. Dat van de gaper in de Diezerstraat *(143, 145, 146)* duidt kennelijk op het apothekersberoep, terwijl dat van de pauw *(144)* in diezelfde straat de herinnering bewaart aan een herberg van die naam. Een fraai voorbeeld van ornamentiek is de poort van het Huis van Bewaring *(151)* met beelden op de kroonlijst

(149, 150). In de buurtschap Zalne, even ten oosten van Zwolle, ligt het landgoed Boschwijk *(152)*, waar de dichter Rhijnvis Feith van 1753 tot 1824 's zomers woonde. Hij was in 1787 burgemeester van Zwolle en is de historie ingegaan als schepper van het Oudejaarsgezang 'Uren, dagen, maanden, jaren, vlieden als een schaduw heen'. Het schrijfbureau waaraan Feith zijn gedichten en romans schreef, staat nu in de 'Zwolse Kamer'

149

150

151

van het Provinciaal Overijssels Geschiedkundig Museum. Een andere persoonlijkheid, die in het laatste deel van de 14de eeuw aan Zwolle grote bekendheid gaf, was de geleerde Thomas Cele. In het bloeitijdperk van de 'School van Cele' waren vaak meer dan duizend studenten uit alle delen van West-Europa in Zwolle in zijn stadsschool bijeen voor hun studie. Bewaard is in de Papenstraat het zgn. Poortje van Cele *(153)* en in een der patriciërshuizen werd Zwolles culturele centrum, het Celecentrum gevestigd *(158)*. Adellijke behuizingen in de Kamperstraat 10 en 12 hebben in hun ornamentiek de wapens der families Van Haersolte *(155)* en Van Rechteren-van Lintelo *(156)*. Tussen fraaie bomen ligt de voormalige herberg 'De Boerendans' *(154)*. De resten van de vroegere stadsmuur aan de Thorbeckegracht *(157)* staan op de monumentenlijst. Een wandeling naar de St.-Agnietenberg, iets ten noorden van Zwolle, voert door heuvelachtig terrein, afgewisseld met weiland, naar de gedenksteen voor Thomas a Kempis (1379-1471), die in het klooster daar ter plaatse *De navolging van Christus* schreef. De O.L.-Vrouwekerk van Zwolle, waar de katholieke parochie ter kerke gaat, is een laat-gotisch, eenbeukige kruiskerk, die in 1463 op de plaats van een oude kapel werd gebouwd. De lage zijbeuken zijn in 1887 toegevoegd. De toren *(159)* was al in 1478 in aanbouw, maar is daarna in zijn huidige vorm voltooid met lantaarn en koepel in twee ver uit elkaar liggende perioden: 1538 en 1828. Als 'Peperbus' domineert hij de stad, sinds in 1682 de toren van de Grote Kerk instortte. Een aantal antieke waterpompen is verplaatst, maar op de Grote Markt staat er nog een in volle glorie *(160)*. Het Refter *(162)* is een oude kloostervleugel, die het refectorium vormde van de augustijner koorheren van Bethlehem of Belheem, gesticht in het begin van de 14de eeuw. De Betle-

ZWOLLE. *143* Gaperornament, Diezerstraat 14. *144* Pauw in Sassenstraat 51. *145, 146* Apotheek Diezerstraat 14. *147* Gevel Diezerstraat 2. *148* Geveltoppen in de Diezerstraat. *149, 150* Beelden aan de ingang van het Huis van Bewaring. *151* Ingang van het Huis van Bewaring.

155

157

156

hemse Kerk, een sobere tweebeukige hallenkerk, behoorde ook tot dit kloostercomplex. Tegenwoordig wordt de kerk niet meer gebruikt. Het Refter — de eetzaal der koorheren — werd in 1915-1917 bij een restauratie vrijwel volledig herbouwd en in gebruik genomen als Handelsschool. Het Van Wiechenhuis *(163)* in de Nieuwstraat is een voorbeeld van de welstand die Zwolles regenten hebben gekend. Aan het eind van de Sassenstraat, op de hoek van het Grotekerksplein, staat het stadhuis, dat uit de 15de eeuw dateert, maar later zó gemoderniseerd is dat er weinig ouds meer aan te zien valt. Het interieur is wel belangwekkend, vooral de raadzaal uit 1448, waarvan de balkenzoldering rust op prachtige sleutelstukken. Er is een gotische schouw met fraaie luchters te zien, alsmede een viertal muurkastjes met kunstig gesneden deuren. Als schoorsteenstuk fungeert een Laatste Oordeel van omstreeks 1605. Voorts hangen aan de lichte wanden portretten van Oranjevorsten. De prachtige laatgotische kaarsenkronen zijn afkomstig uit de Grote Kerk. In een stad met een zo rijke historie ontbreken de molens niet. Zij waren voor de burgerij in vroeger

158

ZWOLLE. *152* Huize Boschwijk, woonhuis van Rhijnvis Feith. *153* Poortje van Cele in de Papenstraat. *154* Voormalige herberg De Boerendans. *155* Gevelgedeelte Kamperstraat 12. *156* Gevelgedeelte Kamperstraat 10. *157* Resten van de vroegere stadsmuur. *158* Celecentrum.

eeuwen onmisbaar. Op de Vondelkade staat nog de windmolen de Passiebloem *(165, 166)*, uit 1776. In de molen is een afdeling gevestigd van het Provinciaal Overijssels Museum met oude ambachten. Bijzondere Zwolse evenementen zijn de 'kunstmarkt', die gedurende enige weken in de zomer wordt gehouden, de feestweek in augustus en de zomerse carillonconcerten in de Peperbus. Even buiten Zwolle bevindt zich het prachtige stadspark het Engelse Werk. In de naaste omgeving van Zwolle bevinden zich

verscheidene kerkdorpen, samengevoegd onder de gemeente Zwollerkerspel. Daar staat o.a. Huize Soeslo *(164)*,
een eenvoudig landhuis uit het einde
van de 18de eeuw, landelijk gelegen
in een park. Het dorp Mastenbroek, ten
noordwesten van Zwolle, heeft een interessante laatgotische Ned. hervormde
kerk, gesticht vòòr 1369, gerestaureerd
in 1530 en verbeterd in 1647. De toren
werd wegens bouwvalligheid in 1845
afgebroken en vervangen door een andere, die eigenlijk niet bij het kerkgebouw
past. Bij een watersnood in 1825 heeft het
water bijna anderhalve meter hoog in de
kerk gestaan, hetgeen in het koor wordt
aangegeven.

ZWOLLE. *159* Toren van de O.-L.-Vrouwekerk
(Peperbustoren). *160* Pomp op de Grote Markt. *161*
Ophaalbrug bij de Waterstraat. *162* Voormalige
kloostervleugel 'Het Refter'. *163* Van Wiechenhuis
in de Nieuwstraat. *164* Huize Soeslo in Zwollerkerspel. *165, 166* Windmolen de Passiebloem op
de Vondelkade.

167

168

169

LANDMANs WELVAART.

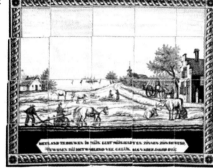

Staphorst

Met een bevolking van ca. 12 000 inwoners is Staphorst een van de meest gesloten gemeenschappen van ons land. Vooral de zondagsheiliging is een kostbaar erfgoed. De klederdracht wordt er door de oudere generatie zeer bewust gehandhaafd. De mannenklederdracht wordt er zo goed als niet meer gedragen. De ervaring leert dat contacten met de Staphorstse bevolking zeer goed mogelijk zijn. Het dorp heeft een geheel eigen charme, die ontstaat door de 18de- en 19de-eeuwse boerderijen, doorgaans in groene en blauwe kleuren geschilderd *(167, 168, 169)*. Wordt de buitenstaander er binnengelaten, dan ontdekt hij vaak fraaie tegeltableaus *(170, 172, 173)*.

Het tot de gemeente behorende dorpje IJhorst is vooral bekend om zijn natuurschoon in De Witte Bergen, het Schot en het Staatsbos.

Rouveen

Rouveen behoort eveneens tot de gemeente Staphorst. Tradities en behuizing verschillen niet veel met die van Staphorst. Klederdracht wordt hier vrijwel niet meer gedragen. Het dorp heeft een kerk met een forse toren *(171)*, daterend uit 1641. De ingang heeft als omlijsting een gotisch lijkende spitse boog *(174)*.

STAPHORST. *167, 168, 169* Boerderijen aan de Rijksweg. *170, 172, 173* Tegeltableaus. ROUVEEN. *171, 174* Oude Kerk.

NOORDOOST-OVERIJSSEL

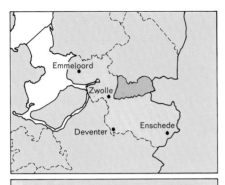

175

176

Noordoost-Overijssel, ongeveer begrensd door Overijsselse Vecht en Reest,
is een gedeeltelijk veenkoloniaal gebied,
dat zich later agrarisch heeft ontwikkeld.
Op het eerste gezicht een wat eentonig
landschap, maar er zijn talrijke natuurge-
bieden, zoals het stroomdal van de Vecht,
met een heuvelig karakter, bos, heide en
oude boswallen.

Hardenberg

Het ruim 11 000 inwoners tellende stadje
Hardenberg in de noordoosthoek, was
gedurende vele eeuwen een belangrijk
strategisch punt; van een in 1230 gebouwde stadsmuur van ijzeroerblokken
is nog een fragment bewaard gebleven.
In het voormalige gemeentehuis (176) is
een Oudheidkamer gevestigd. Boven de
ingang herinnert een gevelsteen (175)
aan St.-Stefanus, patroon van een in 760
gebouwd kerkje. De Oelemölle, een uit
1533 stammende stadskorenmolen (177),
is ingericht als expositieruimte. Karakte-
ristiek is ook de windmolen van het
grensdorp Radewijk (178).

Avereest en Dedemsvaart

De gemeente Avereest omvat de dorpen
Dedemsvaart en Balkbrug en de buurtschappen Oud-Avereest en Sluis VI. De

HARDENBERG. 175 Ornament aan de Oudheidkamer. 176 Oudheidkamer (voormalig gemeentehuis). 177 De Oelemölle. 178 Windmolen in Radewijk. AVEREEST. 179, 180 Glas-in-loodramen
in de r.-k. kerk van Dedemsvaart. 181, 182 Ned.
hervormde kerk in Oud-Avereest.
NIEUWLEUSEN. 183 Boerderij in Nieuwleusen.

177

178

179

180

fraaie glas-in-loodramen *(179, 180)* met voorstellingen uit het Nieuwe Testament.

Nieuwleusen

Het voormalig veenkoloniale dorp Nieuwleusen, iets ten noordwesten van Ommen, was in oorsprong (1630) een veenkolonie, die in het dorp Leusen, nu Oudleusen, ten noordoosten van Dalfsen was gesticht ter vervening van de omliggende gronden. De kolonie groeide sneller dan het oude dorp. Er is nu veel landbouw in Nieuwleusen. Men vindt er nog enkele mooie Saksische boerderijen *(183)*. De omgeving is zeer rijk aan natuurschoon. In de Ned. hervormde kerk is een kostbaar zilveren avondmaalsstel te zien.

181

182

noordgrens van de gemeente, tevens provinciegrens tussen Overijssel en Drenthe, wordt op natuurlijke wijze gevormd door het riviertje de Reest. De naam Avereest is te verstaan als 'over de Reest', omdat Zuiddrentenaren altijd de Reest moesten oversteken om in het dorp te kunnen komen. Het kerkje van Oud-Avereest *(181)*, onlangs gerestaureerd, heeft een vierkant houten torentje met kleine spits en, op elke zijde, twee galmgaten in witgeschilderde omlijsting *(182)*. In de r.-k. kerk van Dedemsvaart zijn

183

SALLAND

184

185

186

187

188

189

190

191

Salland

Onder Salland kan men verstaan de laagvlakte ten westen van de Overijsselse Heuvelrug en de IJsselvallei. De Vecht in het noorden, de Regge in het oosten, de Schipbeek in het zuiden en de IJssel in het westen begrenzen tamelijk nauwkeurig dit gebied.

Ommen

Bij een doorwaadbare plek in de Overijsselse Vecht ontstond al vóór 1000 een woongemeenschap. Er werd een kerkje gebouwd en in 1248 verleende de bisschop van Utrecht stadsrechten. Nu is Ommen een gemeente van ruim 16000 inwoners, verdeeld over het stadje zelf, de dorpen Lemele en Lemclerveld, en een twintigtal buurtschappen, waaronder Eerde, Beerze en Vilsteren. Ommen zelf heeft niets opvallends, maar de omgeving biedt een aantal der oudste cultuurlandschappen die ons land nog bezit. In Beerze, op 7 km afstand van Ommen, staat een groep Saksische boerenhuizen, die op de monumentenlijst voorkomen en dus beschermd zijn (184, 185, 186). In de woonruimten komen nog veel tegels voor als versiering. Het zijn de traditionele onderwerpen als een kruisafneming (187), de geboorte van Jezus (190), landschappen en bloemen (188, 189). In de buurtschap Vilsteren duidt de versiering van een zgn. snijraam boven de huisdeur op het boerenbedrijf (191). Het uit 1827 daterende gemeentehuis van Ommen (194) is een bezienswaardig gebouw. Van grote betekenis is kasteel Eerde (192). Het stamt oorspronkelijk uit de 13de eeuw, werd verscheidene malen belegerd en verbrand en telkens weer opgebouwd. Het statige, door een gracht omgeven gebouw dateert uit 1715. Een ornament boven de voordeur geeft de wapens van het geslacht Eerde (193). Een ander landhuis is dat van het gemeen-

OMMEN. 184, 185, 186 Boerderijen aan de Beerzerweg. 187 t/m 190 Tegeltableaus. 191 Snijraam te Vilsteren.

192

193

telijk landgoed Het Laar, dat uit de 19de eeuw dateert *(197)*.

Dalfsen

De gemeente Dalfsen bestaat ook weer uit een dorp en, in dit geval, 20 buurtschappen, waaronder Oudleusen en Rechteren. Dalfsen zelf *(195)* is een van de mooiste kerkdorpen van Overijssel. In

194

195

de laatgotische kerk van Dalfsen bevindt zich het grafmonument voor Johan Zeger van Rechteren en zijn gemalin. Zij bewoonden het kasteel Rechteren, een der oudste adellijke behuizingen van ons land. Johan Zeger stierf in 1700, maar het geslacht Rechteren heerste al vroeg in de 13de eeuw over dit gebied. Een oud edelmanshuis uit de 18de eeuw is De Aalshorst (199), dat in de gevel stenen

OMMEN. 192 Kasteel Eerde. 193 Ornament boven de ingang van Kasteel Eerde. 194 Gemeentehuis. 197 Huis Het Laar. DALFSEN. 195 Dorpsgezicht. 196 Wapenschild aan Huis Den Berg. 198 Huis Den Berg.

196

197

198

199

200
201
202

saterkoppen *(200, 201, 202)* als versiering heeft. De omgeving van Dalfsen heeft een interessante flora: steen- of heideanjer, kraailook en wilde tijm. De bossen zijn rijk aan fazanten, patrijzen en reeën; in het lage land nestelen weidevogels. Vermeldenswaard zijn nog Huis Den Berg *(196,198)*, Huis De Leemcule *(203)*, gebouwd in 1823 op de plek waar eens een havezate was, en het Huis Ruitenborgh *(204)*, gelegen aan de gelijknamige weg.

203

204

deelte dat sinds 1627 dienst doet als Ned.-hervormde kerk. Het huis Windesheim uit de 16de eeuw is in 1944 geheel verwoest; er bleven alleen twee bouwhuisjes met nisbeelden over. Windesheim heeft ook nog een molen uit 1748, die als een voortzetting wordt beschouwd van de door brand verwoeste molen die oorspronkelijk bij het klooster hoorde. Ook het poortje bij de kerk *(206)* maakte deel uit van het kloostercomplex.

DALFSEN. *199* Huize De Aalshorst. *200, 201, 202* Gevelstenen aan Huize De Aalshorst. *203* Huis De Leemcule. *204* Huis Ruitenborgh. WINDESHEIM. *205* Toren van de Ned. hervormde kerk. *206* Poortje bij de Ned. hervormde kerk.

206

205

Windesheim

Windesheim, gelegen aan de grote weg van Zwolle naar Deventer, ongeveer 5 km ten zuiden van Zwolle, heeft een beroemde naam gekregen door het grote regulierenklooster uit 1387. De vermaarde Geert Groote gaf de eerste stoot tot oprichting van de zgn. Windesheimer Orde. Zijn leerling Floris Radewijnsz. begon toen het klooster te bouwen. In 1572 werd het gebouw verwoest en er is vrijwel niets anders van over dan het ge-

207

208

Wijhe

De gemeente Wijhe, met ruim 6000 inwoners, ligt in Salland aan de Rijksstraat-
weg Zwolle-Deventer en aan de rechter-
oever van de IJssel, 13 km ten zuiden
van Zwolle. Wetenschappelijk onderzoek heeft aangetoond dat de naam Wijhe
in 960 voor het eerst voorkomt in een
oorkonde van koning Otto. Vermoedelijk ligt het ontstaan van de naam in een
doorwaadbare plaats in de rivier. De kerk
van Wijhe is laat-romaans: de toren werd

in de gotische bouwperiode verhoogd.
De oudste gedeelten van de kerk zijn van
tufsteen met zeer kleine spitsboogven-
stertjes. In het gebouw zijn twee graf-
tomben met beeldhouwwerk van de
Utrechtse beeldhouver J. Mast.
Huize De Gelder (207) is 60 jaar geleden
grotendeels gesloopt, maar op het voor-
plein herinneren twee kanonnen (209) en
een hardstenen leeuw (208), in 1778 door
de Pruisische koning geschonken, aan de
glorietijd van het huis. Het park rondom
het huis biedt 160 ha wandelterrein.

209

Vooral door de riviergezichten *(210)* is Wijhe een bezoek waard. Voor kasteel 't Nijenhuis zie onder Heino. Tot de gemeente behoren ook de buurtschappen Boerhaar (of Wengelo), Wechterholt (of Elshof), Hengeveld, Herxen, Marle, Tongeren en Wijnvoorden.

Olst

Eén rivierbocht ten zuiden van Wijhe ligt Olst met zijn buurtschappen. De tegenwoordige kerk *(211)* dateert uit 1264, maar al in de 11de eeuw moet er een kleine Romaanse kerk hebben gestaan. Daaruit valt de oudheid van Olst af te leiden. Al in 974 was het als 'Holsto' een bezitting van het stift Essen in Westfalen.

WIJHE. *207* Huize De Gelder. *208* Beeld bij Huize De Gelder. *209* Kanon bij Huize De Gelder. *210* Riviergezicht met op de achtergrond 't Mottenhuisje. OLST. *211* Ned. hervormde kerk.

212

213

In 1334 werd een klooster in de buurt gesticht. De huidige kerk vertoont een mengeling van bouwstijlen: het tufstenen onderdeel van de toren is nog Romaans, het bakstenen onderdeel heeft vroeg-gotische vormen. Aan een mooie oprij-laan op de weg van Olst naar de Eikelhof ligt Boxbergen *(214)*, een havezate uit 1653. Een ornament in de gevel *(213)* beeldt het wapen uit van het er eens wonend geslacht. De witgeschilderde versiering van een snijraam *(212)* boven een door twee lantaarns geflankeerde ingang is zeer speels van lijn. Olst heeft een bosrijke omgeving, fraaie waterpar-tijen en behalve Boxbergen nog tal van adellijke landhuizen. Even ten noorden van het dorp ligt nog de boerderij De Roze, daterend uit 1636. De buurtschap Wezepe bezit een oud kerkje met een 14de-eeuws doopvont.

214

215

216

217

Diepenveen

Vier kerkdorpen en een vijftal buurtschappen vormen de gemeente Diepenveen. Aan de Raalterweg, ongeveer 7 km
van Deventer, ligt de cisterciënzer abdij
Sion *(215)*, de eerste kloostergemeen-
schap in de noordelijke provincies na de
Reformatie. Het gebouw dateert uit 1890
en werd in 1935 tot abdij verheven.
Boven de toegangspoort *(216)* staat het
witstenen beeld van een der aartsengelen
in gevecht met een gevleugeld monster
(217). Over de Ned. hervormde kerk
(219) vallen interessante bijzonderheden
te vermelden. De kerk is vermoedelijk
opgebouwd uit een kapel van het daar in

OLST. *212* Snijraam boven de ingang van het
gemeentehuis. *213* Ornament in de gevel van kasteel
Boxbergen. *214* Kasteel Boxbergen.
DIEPENVEEN. *215* Doorkijkje op abdij Sion. *216*
Toegangspoort van abdij Sion. *217* Beeld boven de
toegangspoort van abdij Sion.

218

1401 gestichte St.-Agnietenklooster. Het uitgestrekte kloostercomplex werd in 1578 verwoest. Slechts de muren van de kloosterkapel bleven overeind. Bij een restauratie in 1720 werd de kerk vermoedelijk van de speelse dakruiter voorzien *(218)*. In 1968 werd het kerkgebouw grondig gerestaureerd, bij welke gelegenheid een bronzen kruis uit de 14de eeuw werd teruggevonden. Het is opvallend hoeveel van deze kerkgebouwen uit de middeleeuwen stammen en gewoonlijk bij kloostercomplexen hebben behoord. Zowel uit Duitsland, bijvoorbeeld Westfalen, als uit Utrecht werd voortdurend geestelijke maar ook wereldlijke invloed uitgeoefend. Hardenberg bijvoorbeeld was een typisch bolwerk. Bij de vlek Ane, in de zgn. Mom-

menriete, werd op 1 augustus 1227 het Utrechtse bisschoppelijke leger volledig door boeren vernietigd. De Gulden Sporenslag bij Kortrijk in een volgende eeuw had bij ons al voorlopers. Hoe oud de wooncultuur in deze streken overigens is bewijst een in 1960 opgegraven urn, die tussen de 6de en de 5de eeuw v.C. wordt gedateerd.

Aan de Boxbergerweg, bij kasteel Boxbergen, bevindt zich een zandstenen gedachteniskruis uit 1493. Bij de Zandbelt aan de Spanjaardsdijk, tussen Schalkhaar en Heten, vindt men nog een ouderwetse plattelandsherberg, die tegenwoordig als boerenwoning in gebruik is. Tot de gemeente behoren eveneens de kerkdorpen Schalkhaar, Colmschate, Lettele en Okkenbroek.

220

Deventer

221

Het ontstaan van Deventer valt ongeveer samen met de opmars van Karel de Grote in deze streken en met de komst van de apostel Lebuïnus. Deze prediker zou in 768 een kerkje hebben opgericht, dat nog vóór 775 moet zijn verwoest. Onmiddellijk daarop bouwde Lebuïnus' opvolger Liudger een nieuwe kerk. Al een halve eeuw later vond Deventer aansluiting op de handelsbewegingen van die tijd. De oude nederzetting breidde zich uit en Deventers levenskracht werd duidelijk zichtbaar. In 1040 bouwde men de crypt van de tegenwoordige St.-Lebuïnuskerk. Handelaars en kooplieden trokken erop uit om andere markten te veroveren en de stad sloot zich aan bij het Duitse Hanzeverbond. Weldra was Deventer de belangrijkste Hanzestad van de Lage Landen, ook een centrum van godsdienstleer en wetenschap. Er waren ook tijden van terugslag: branden en oorlogen teisterden de stad en remden de ontwikkeling tijdelijk af. Halverwege de 17de eeuw scheen er een eind te komen aan Deven-

DIEPENVEEN. *218, 219* Ned. hervormde kerk.
DEVENTER. *220* Waaggebouw. *221* Hoektoren van het Waaggebouw.

ters bloei en het zou eigenlijk tot de 20ste eeuw duren voordat zij haar oude levenstempo herwon. Handel en industrie kwamen de stad verlevendigen. De ouderwetse schipbrug moest plaats maken voor een prachtige vaste verkeersbrug, die van Gelderland rechtstreeks toegang gaf tot het hart van de stad, de Brink, dat merkwaardige gevormde langgerekte plein met zijn inspringende hoeken.

DEVENTER. *222* t/m *226* Details van het Waaggebouw. *227, 228* Gevels aan De Brink.

In de eens zo machtige Hanzestad Deventer, prachtig gelegen aan de IJssel, is nog veel van het rijke verleden zichtbaar gebleven. Daar is bijvoorbeeld het Waaggebouw *(220)* op de Brink, nu een museum met als dependance het koopmanshuis 'i di drie vergulde herick'. Het gehele complex dateert uit de 16de eeuw; de Waag uit 1528, het koopmanshuis uit 1575. In 1643 werd aan de Waag een renaissance-bordes toegevoegd *(224)*. Het bordes vormt een merkwaardige eenheid met het veel oudere gebouw. Ook hier weer een rijkdom aan versiering, zoals de op een boegbeeld gelijkende waterspuwer in een door de tijd prachtig gepatineerde kleurschakering (222). Het Manshoofd, wat verwrongen grijnzend naar de onbereikbare etenspot onder hem (225), herinnert aan het afgebroken fort Altena, in de volksmond 'kiek in de pot' geheten. In de muur gemetselde gevelstenen tonen ster, maan en zon (223) en symboliseren de naam van fort Morgenster. Een grote verweerde ketel die aan de muur hangt

229

230

231

deed stellig geen dienst om er het linnen-
goed der magistraten in te wassen *(226)*,
maar men kookte er anno 1454 valsemun-
ters in tot ze bekenden. De Deventer
Brink is het grootste plein van Nederland. Het lidmaatschap van de 'multina-
tional' Hanze heeft de stad geen windeie-
ren gelegd. Is de gevel van een woonhuis
nog betrekkelijk sober van lijn *(227)*,
die van een kennelijk rijke burger is al
kostelijk versierd met beeldhouwwerk
(228). Op een andere geveltop bevinden
zich de liggende beelden van Juno en
Diana, midden op de kuif en op de einden
staan zandstenen vazen; de vlakgekapte
wapenschilden van de familie op het fries

232

dateren uit 1735 *(229)*. Het Brouwershuis uit ca. 1640 op Brink 12 is wat
soberder van stijl, maar heeft toch een
fraaie deuromlijsting *(231)*. Een tegelor-
nament uit 1890 op Brink 64 *(230)* mag
er, wat weelderige ornamentiek betreft,
ook zijn. Wat te denken van de geveltop
op Stromarkt 9, waarbij de bouwmeester
in 1676 aan zijn beeldhouwers opdroeg
de meest fantastische fabeldieren te hou-
wen *(232)*? In wezen is een trapgevel uit
1631 in de Menstraat 11 heel wat soberder van lijn *(233)*. Een snijraam in de
gevel van Stromarkt 1 geeft speels een

233

234

staal van houtsnijwerk *(234)*. Men dient
zich er echter wel rekenschap van te
geven dat rijkdom niet enkel tot praal-
zucht behoefde te leiden. Er was in de
stad steeds een voornaam cultureel leven,
dat blijkt uit nu nog onverbleekte namen
als Geert Groote (1340-1384), stichter
van de Broederschap van het Gemene
Leven, Alexander Hegius (1433-1498),
rector van de Latijnse School en leraar
van Erasmus, Jacob Revius (1586-1658),
dichter, predikant, medevertaler van de
Statenbijbel, Jan Pieterszoon Sweelinck
(1562-1621), M.Th. Steyn (1857-1916),
die in Deventer studeerde en het bracht
tot het presidentschap van de Zuidafri-
kaanse Unie en L.A.J. Burgersdijk (1829-
1900), die Shakespeares toneelstukken
vertaalde. Vanzelfsprekend moet ook de
Deventer koek worden genoemd. Het

DEVENTER. *229* Geveltop aan De Brink. *230*
Ornament aan Brink 64. *231* Ingang van het
Brouwershuis, Brink 12. *232* Geveltop Stromarkt 9.
233 Gevel Menstraat 11. *234*. Snijraam Stromarkt 1.

235

237

Koekhuisje zelf aan de Brink heeft een sober geveltje: het is een echt bakkers-winkeltje geworden na de verplaatsing van het bedrijf van Bussink in 1957 *(238)*. Op het uithangbord *(235)* staat: 'In d'Van Outs Her Ghekroonde Alle-mansgadinghe', dan de vermaarde naam J. Bussink en het jaartal 1595. Er zijn minder belangrijke jaartallen in de ge-schiedenis. Aan de zijmuur wapenschil-den die duiden op hofleverancierschap *(237)*. Deventer blijft vol verrassingen. Want ineens in de Spijkerboorsteeg een poortje uit 1613, een universiteit waardig *(236)*. Een ijzeren hek sluit de wereld buiten. Men hoeft er zich niet over te verbazen dat een stad van Deventers allure een politiebureau bezit met een van

DEVENTER. *235* Uithangbord aan het Koekhuis-je. *236* Poortje in de Spijkerboorsteeg. *237* Wapen-schild aan het Koekhuisje. *238* Koekhuisje.

238

236

de mooiste renaissancegevels van ons land *(240)*. Het gebouw stamt uit 1632 en wordt aangeduid als Het Landshuis. Vroeger deed het dienst als herberg, later als vergaderzaal der Provinciale Staten. Een deel ervan is al veel ouder: in de vestibule vindt men bogen op laat-gotische pijlers uit ca. 1450. Boven de ingangspoort een dubbel wapen, waarvan het linker de adelaar, het gemeentewapen van Deventer, oorspronkelijk Hanzesymbool, weergeeft *(239)*. De Grote of St.-Lebuïnuskerk beheerst met een zeer karakteristieke, gehelmde toren stad en omgeving *(241)*. De Engelse priester Lebuïnus verkondigde al in de 8ste eeuw het christendom in de IJssel-

239

DEVENTER. *239* Ornament aan de toegangspoort van het Landshuis, met het gemeentewapen van Deventer. *240* Landshuis. *241* St.-Lebuïnuskerk.

streek en bouwde, zoals eerder vermeld, een kerkje op de plek waar nu de Grote Kerk staat. Bisschop Bernold (1027-1054) heeft de Romaanse basiliek gebouwd, die later als 't ware door een gotisch omhulsel werd ingesloten. Het oudste deel van de kerk is de crypt, daterend uit de 11de eeuw. Omdat men altijd maar met het bij- en verbouwen van zo'n Godshuis bleef voortgaan, kreeg de in oorsprong Romaanse basiliek ten slotte toch een laat-gotisch interieur. In 1463 werd de grote zuidertoren gebouwd; de noordertoren is er nooit naast gekomen. Bouwmeester Hendrick de Keyser heeft in 1612 de open koepel ontworpen, waar in 1647 een

240 241

243

40 klokken tellende beiaard van François Hemony kwam te hangen. Tegen de kerk leunen lage huisjes *(243)*, die de verbinding vormen van het godshuis met de stedelijke gemeenschap. Een ander belangrijk kerkgebouw is de St.-Nicolaas- of Bergkerk, die in 1206 in gebruik werd genomen. Het was de kerk van de 'Bergenvaarders', die stokvis uit het Noorse Bergen haalden. In de naaste omgeving van de Bergkerk, het Berg-kwartier, vindt men schilderachtige straatjes en goed gerestaureerde histo-

244
245
246

242

247 248

250

249

251

rische gevels. Terug naar de Brink, want het Penninckshuis uit ca. 1583 eist alle aandacht. Een detail van de gevel geeft al een weelde aan beelden die van alles symboliseren: geloof, hoop, liefdadigheid, voorzichtigheid, rechtvaardigheid, kracht en matigheid *(244, 245, 246)*. Hoe mateloos rijk moeten de Deventer kooplieden van de 16de en 17de eeuw zijn geweest. Zorgvuldig de gevel beschouwend ontdekt men steeds andere rijke ornamenten. De weelderige omlijsting van de ingangspoort *(248)* doet nooit vermoeden dat daarachter sinds 1891 een kerkje schuilgaat. Het merkwaardige van deze architectuur is dat de rijkdom aan ornamentiek niets te kort doet aan de grootse vorm van de gevel in zijn totaliteit *(249)*. Het monument voor de Penninckshoek is opgericht ter nagedachtenis aan dr. Albert Schweitzer. Er is nog meer bezienswaardig aan het huis. In rijke

DEVENTER. *242* Toren van de St.-Lebuïnuskerk. *243* Huizen bij de St.-Lebuïnuskerk. *247* Interieur van de St.-Lebuïnuskerk. *244* t/m *246*, *248* t/m *251* Penninckshuis.

252

253

254

ornamentiek staat te lezen: 'Alst Godt be-
haget, beter benyt als beclaget' *(251)*. Het
huis 'I di drie vergulde Herick' *(252,
257)*, achter de Waag, werd voor koop-
man Herbert Dapper in 1575 gebouwd.
Zijn schepen voeren op de Noorse stad
Bergen. Idyllisch is het Jordenshof met
een fraai ingangspoortje *(253)*. De Muntentoren *(254)*, in de oorlog verwoest,
werd verbouwd en is nu expositieruimte.

Bathmen

Bathmen heeft als belangrijkste bezienswaardigheid de hervormde kerk, waar-

257

255

256

258

opgaand hout, zoals in de buurtschappen Borkeld en Espelo *(261, 262)*.

DEVENTER. *252, 257* Huis 'I di drie vergulde Herick', gelegen achter de Waag, *253* Poort van het Jordenshof. *254* Ingang van de Muntentoren. BATHMEN. *255* Korenmolen De Leeuw aan de Holterweg. *256* Toren van de Ned. hervormde kerk. *258* Kasteel Dorth. HOLTEN. *259* Gemeente-wapen. *260* Ornament. *261* Boerderij in Borkeld. *262* Boerderij in Espelo.

259

260

van dak en toren uit de 15de eeuw stammen *(256)*. Aan de Holterweg staat de achtkantige korenmolen De Leeuw uit 1830 *(255)*. Er zijn voorts vele buitenhuizen, waaronder het kasteel Dorth *(258)*, in Oudhollandse stijl gebouwd.

Holten

Holten is een gemeente met negen buurtschappen in een door Staatsbosbeheer zorgvuldig beschermd gebied. Voortdurend duiken boerenhoeven op tussen het

261 262

264

267

268

263

265

266

Hellendoorn

Hellendoorn ligt op de Overijsselse Heuvelrug en vormt een recreatiegebied dat zich van Ommen tot Holten uitstrekt. De gemeente kent diverse dorpen, t.w. Nijverdal, Haarle, Daarle, Daarlerveen, Hulsen, en ook enkele buurtschappen. Hellendoorn is het moederdorp van de gemeente. Bekend in de streek is de put, waarbij een gevorkte tak als steunpunt dient voor de beugeltak met de emmer *(264)*.

HELLENDOORN. *263* Jachtslot te Haarle. *264* Waterput. RAALTE. *265* Jachthuisje, Luttenberg 86, *266* Posthuisje De Bagatelle. *267*, *268*, *270*, *271* Huize 't Relaer. HEINO. *269* Huize Den Alerdinck. *272* 't Nijenhuis.

269

271

270

Raalte

Raalte ligt in het centrum van Salland, aan de voet van de Sallandse Heuvelrug. De omgeving telt vele havezaten, landhuizen en kasteeltjes, waaronder 't Relaer *(271)*, monumentaal van bouwstijl, tot in de versierde vensterbogen *(268)* en het wapenschild boven de hoofdingang *(267)*, terwijl zelfs een zijingang *(270)* nog vorstelijke allure bezit.

Heino

Heino ligt 14 km ten zuidoosten van Zwolle aan de spoorlijn en de grote weg naar Raalte. Vermeldenswaard is de havezate 't Nijenhuis *(272)*. Iets ten noordwesten van Heino ligt Huize Den Alerdinck *(269)*, een havezate uit 1654.

272

TWENTHE

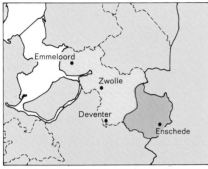

Twenthe heeft, om het gebied bij bena-
dering te bepalen, twee grenzen: die van
het water en die van de heuvelruggen.
Twenthe heeft een uiterst gevarieerd
landschap: loofbossen, heideland, weiden, drassige vennen, en, zeer typerend,
de oude essen, de hooggelegen akkers
omgeven door omheiningen van akker-
maalshout. De 20ste eeuw heeft Twenthe
tot industriegebied gemaakt, eerst textiel,
later ook machines en werktuigen, maar
in wezen is het landschap niet veel veranderd.

Ootmarsum

Ootmarsum ligt in het noorden van
Twenthe. Het stadje, gelegen in een
schitterende omgeving, heeft veel te bieden: bijvoorbeeld een allercharmantst
stadhuis uit 1870 met rococo-ornamen-
ten op de zandstenen voorgevel. Maar
het meest opvallende monument is wel
de r.-k. kerk (273), stammend uit de
13de eeuw. In 1842 werd de toren gesloopt; in de plaats daarvan kwam later

276

277

280

een houten spitsje *(274)*. Hoe zuiver de bouwstijl was van deze uit bentheimersteen opgetrokken kerk toont het beeld van een zijingang *(275)*. Eveneens een belangrijke bezienswaardigheid is het Cremerhuis *(278)*, daterend uit 1656.

Aan Keerweer 2 staat het zgn. Stiepelhuis *(279)*, met een zadeldak van pannen; het bovenste deel van de voorgevel is uit hout opgetrokken. De inrijpoort *(280)* heeft de karakteristieke boogvorm. Aan de Oldenzaalsestraat staat een korenmolen uit 1856 *(283)*. Op verschillende punten in het stadje kan men aardige antieke gevels bewonderen, o.m. aan de Marktstraat. Op de Kuipersberg heeft men prachtige vergezichten over Twenthe en het graafschap Bentheim. Ten zuidoosten van Ootmarsum, aan het kanaal Almelo-

OOTMARSUM. *273* t/m *275* R.-k. kerk. *276* t/m *278* Cremershuis. *279, 280* Stiepelhuis.

Nordhorn, is de Huneborg, een ovaal-vormige walburcht uit de Karolingische tijd, eigendom van de Vereniging Oud-heidkamer Twenthe te Enschede. In 1917 kwamen bij een onderzoek stenen funde-ringen en houten palissaderingen te voorschijn. Ootmarsum is een centrum van Twentse folklore: vroeger de brood-uitdeling in de Ageler Es na Pinksteren, nu nog palmpasenoptochten, "vlögge-len" (een soort volksdans), midwinter-hoornblazen tussen Advent en Drie-

281

282

284

283

koningen; aan de 'naoberplichten' wordt strikt de hand gehouden.

Tubbergen

Tubbergen in Oost-Twenthe is, en dat tonen vondsten uit de bodem aan, ver-moedelijk een van de oudste woongebie-den van ons land. De naam is mogelijk afgeleid van 'tussen de bergen'. Het wa-penschild (287) toont dan ook o.a. drie

OOTMARSUM. 281, 283 Molen. TUBBERGEN. 282 Oude eik met kapel, Oldenzaalse Weg 75. 284 Schaapskooi, Hooidijk 49, 285, 286 Ramen in r.-k. kerk. 288 R.-k. kerk. 287 Wapenschild in de Grote Straat. 289 Vakwerkschuur, Manderveense Weg 19. 290. Vakwerkboerderij, Oldenzaalse Weg 74.

gouden bergen. Het is een gemeente met een centraal kerkdorp, zeven andere kerkdorpen en een aantal buurtschappen. Aan de Oldenzaalseweg staat een 900-jarige eik met een kapelletje *(282)* en aan de Hooidijk een oude schaapskooi *(284)*.

Onder de boom werden in de 17de eeuw geheime katholieke godsdienstoefeningen gehouden. De toren van de r. k. kerk is een kloek bouwwerk uit de 16de eeuw, waarvoor de hier veel gebruikte bentheimersteen werd aangevoerd. De zware toren *(288)* is helaas van zijn oorspronkelijke spits ontdaan. De glas-in-loodramen vertonen traditionele bijbelse thema's, maar zijn van vrij jonge datum *(285, 286)*. Oude bouwvormen vindt men toegepast aan het 'lös hoes' aan de Hooidijk, ook aan een vakwerkboerderijtje *(290)* aan de Oldenzaalseweg, en aan een vakwerkschuurtje aan de Manderveenseweg 19 *(289)*.

285

286

287

289

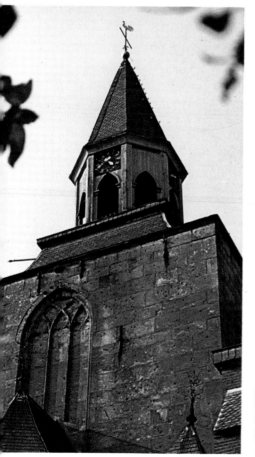

288

290

291

Almelo

Almelo is een snelgroeiende stad in het centrum van Twenthe, een knooppunt van belangrijke verkeerswegen te land en te water. De industriële revolutie door de mechanisatie van het spinnen en weven deed de stad uitgroeien van een 2000 inwoners tellend dorpje tot een gemeenschap van ca. 63 000. Textielindustrie overheerst, maar neemt thans de tweede plaats in na de metaal- en elektrotechnische industrie. Almelo is ook een koopcentrum voor de wijde omgeving. Aan de kerkgebouwen is de groei van de

292

ALMELO. *291 t/m 297* Ned. hervormde kerk. *298* Kasteel Almelo. *299, 300* Ornamenten aan kasteel Almelo. *301* Waaggebouw.

293

294

295

296

297

298

299

300

bevolking af te lezen. Aan de Ned. hervormde kerk is men al in 1493 begonnen te bouwen. Zijn huidige gedaante kreeg het gebouw omstreeks 1738, maar het koor is gotisch. Het sierlijke houten torenspitsje *(291)* wijst op het afbreken van de bouw. De invloed van het geslacht van de graven Van Rechteren Limpurg is in het interieur merkbaar. Zo bijvoorbeeld de 'gravenbank' *(292)* met het wapenschild, het stenen ornament met gelijke symbolen *(293)* en een ander ornament van gelijke structuur *(294)*. Zelfs boven de deur van de zijingang herhaalt zich dit *(295)*. Aan de andere kant van het koor een mooie, sobere graftombe *(296)*. Opvallend is ten slotte het zeer rijkversierde orgel *(297)*. Huis Almelo *(298)*, oorspronkelijk een havezate uit de 13de eeuw, is het familiegoed van het geslacht Van Rechteren Limpurg, waarvan nog steeds afstammelingen het statige gebouw bewonen. De

301

eerste vernieuwing had plaats in 1662; daarna volgden nog grotere veranderingen in 1778 en 1883, zodat er nu een hoofdgebouw met twee zijvleugels staat. Ornamenten in de gevel *(299, 300)* herhalen weer het grafelijke wapen. Het belangrijkste aspect van Almelo als handelscentrum uit zich in het in Oudhollandse stijl opgetrokken Waaggebouw *(301, 302, 303)*, dat nu een der bekendste expositiezalen van Twenthe is, met o.a. tentoonstellingen van moderne kunst. Men vindt in Almelo nog vele merkwaardige oude gevels, zoals die van het tempelachtig aandoende huis in de Grotestraat 57 *(305)*. Het voormalig stadhuisje, thans VVV-centrum, dateert uit 1690. In 1969 is begonnen met de bouw van het

ALMELO. *302, 303* Gevelgedeelte van het Waaggebouw. *304* Gemeentewapen aan het Raadhuis. *305* Huis in de Grote Straat 57. RIJSSEN. *306, 307* Waterpomp bij de r.-k. kerk. *309* Pelmolen. GOOR. *308*. Ornament aan de ingang van Kasteel Weldam. *310* Kasteel Weldam.

304

305

nieuwe stadhuis, naar een ontwerp van J.J.P. Oud. De gerestaureerde korenmolen in de Nieuwstraat wordt nog steeds gebruikt. Aan de Hofstraat, tegenover het Postkantoor, vlak bij de Markt, vindt men de veelbezochte hertenkamp. In de stadswijk Beeklust staat de jeugdboerderij van dezelfde naam. Almelo heeft voorts een jachthaven, gelegen aan de buitenhaven van het Twenthekanaal.

De omgeving van Almelo biedt talloze mogelijkheden voor uitstapjes naar bossen en heidevelden, Saksische boerderijen, romantische watermolens, kastelen en havezaten en klompenmakerijen.

Rijssen

Rijssen ligt aan de grote weg Deventer - Almelo, op de grens van Salland en Twenthe. De Ned. hervormde kerk heeft een 12de-eeuwse tufstenen voorgevel, een gotisch koor uit de 15de eeuw, een zuiderzijbeuk uit de 16de, en nog een derde beuk uit de 20ste eeuw; het totaal vormt ten slotte een geheel in steen gewelfde driehallenkerk. Bij de kerk staat een mooie stenen zwengelpomp *(306)* uit 1799, zoals het gemeentewapen dat erin is gebeiteld duidelijk vermeldt. Een pelmolen uit 1752 *(309)* duidt op graanvelden in de omgeving.

303

306

307

308

309

Goor

Goor heeft ca. 11 500 inwoners. Het werd een textielcentrum nadat Thomas Ainsworth — zijn monument staat op het kerkhof — er de eerste weefschool stichtte. Goor ontstond als nederzetting aan het riviertje de Regge, omdat op die plek een doorwaadbare strook in de moerassen was te vinden. (Goor komt van 'goer' of wel moeras). Zoals vrijwel overal in Twenthe zijn ook hier veel kastelen en buitenhuizen gebouwd. Een voorbeeld hiervan is het kasteel Weldam (310) ten zuiden van Goor, van een eenvoudige 14de-eeuwse havezate uitgebouwd in 1568 en daarna nog eens in de 17de eeuw. Het hoofdgebouw heeft twee vleugels en is omgeven door een gracht en mooie tuinen. Op een stenen vaas bij de ingang is het familiewapen aangebracht (308). Weldam is niet het enige buitengoed van dergelijke allure. Daar zijn nog bijvoor-

310

beeld het Huis Heeckeren *(314)* aan de Korte Dijk en Kasteel Wegdam, alle met fraaie, vaak stijlvolle parken. Huis Heeckeren was eens een van de sterkste bolwerken van de Utrechtse bisschop. In de gevel duiden een wapenschild *(311)* en ornamenten *(313)* op de adellijke familie, waarvan de leden als drosten Twenthe regeerden. De Ned. hervormde kerk, staande op de plaats waar omstreeks

312

311

800 een parochiekerk moet zijn geweest, heeft een forse bakstenen toren uit de 15de eeuw, die inmiddels is gerestaureerd. Goor kent verscheidene folkloristische evenementen, o.m. het ontsteken van het Paasvuur, de Oudejaarsavondrondgang met de zgn. foekepot en in het begin van juli een school- en volksfeest.

313

315

314

Markelo

Markelo ligt ongeveer 7 km ten westen van Goor en 6 km ten zuiden van Holten. De stoere bakstenen toren van de hervormde kerk *(317)* dateert al uit de 15de eeuw. Op de Markelose Berg is het Overijsselse Verzetsmonument geplaatst *(316),*

316

317

318

319

320

dat door de beeldhouwer Titus Leeser werd gemaakt. Boerderijen *(312)* en waterputten *(315)* herinneren door hun vorm aan het traditionele Twentse volksleven. Typisch zijn in dit opzicht ook de 'gaostokken', oude wandelstokken, die in Markelo werden gesneden.

Diepenheim

Diepenheim, in het zuidwestelijk deel van Twenthe, is een van de oudste stadjes van Overijssel en vroeger eeuwenlang centrum van de landadel. Hierop wijst bijvoorbeeld het 'College van Borchman-

nen en Burgemeesters' (Borchmannen zijn de bewoners der Huizen), dat eens per jaar ten stadhuize bijeenkomt. Fondsen van dit college hebben een charitatieve inslag. In de gevel van het voormalige raadhuis *(319, 320)*, bevindt zich als ornament een wapensteen *(318)*. De her-

321

322

vormde kerk *(321)* dateert uit 1679 en
heeft nog zgn. 'herenbanken' voor de
adellijke families. De preekstoel dateert
uit 1690. De mooi gemetselde zijingang
(322) schijnt later aan de kerk te zijn
toegevoegd. Het Huis Diepenheim *(323)*
is een voorname adellijke woning, die in
1648 door de vermaarde bouwmeester
Philips Vingboons werd gebouwd op de
plaats van een vroeger slot der Utrechtse
bisschoppen. Het heeft een monumentale
zandstenen poort uit 1685. Het interieur
bevat kostbaar porselein en fraaie Franse
gobelins. Blijkend uit een gebeeldhouwde versiering met wapenschilden *(324)*

DIEPENHEIM. *321* Ned. hervormde kerk. *322*
Zijingang van de Ned. hervormde kerk. *323, 324*
Kasteel Diepenheim. *325* Gevelsteen. *326* Kasteel
Nijenhuis. *327* Ingang kasteel Diepenheim. *328*
Huize Warmelo.

324

323

326

is dit huis verbouwd: 'int jaer 1707 verandert'. Deze versiering vormt de bekroning van een klein balkon *(327)*. Het kasteel Nijenhuis *(326)*, 1 km ten oosten van Diepenheim in de richting van Goor, werd al in 1457 vermeld. In 1583 is het afgebroken, maar in de 17de eeuw herbouwd. De hoektorens werden in de 19de eeuw aan de voorgevel toegevoegd. Huis Warmelo *(328)* is een havezate uit de 15de eeuw aan de weg naar Borculo.

325

327 328

329

330

331

Haaksbergen

Haaksbergen ligt ongeveer 14 km ten zuidwesten van Enschede, 14 km ten zuiden van Hengelo en 13 km ten zuid-oosten van Goor. Het is een aantrek-kelijk vakantieoord door de prachtige omgeving: vooral het natuurreservaat 'Buurser Zand' is mooi. Uit 1798 dateert een windkorenmolen *(329)*, toepasselijk 'De Korenbloem' genaamd. Ten zuiden van Haaksbergen, aan de Watermolen-

333

weg 22, staat een dubbele watermolen uit 1548. Haaksbergen ('heuvels in de hoek van het land', of wellicht ook ontleend aan de naam van de Germaanse godheid Hagall), bezit een r.-k. kerk met een mooie slanke toren uit de 16de eeuw. In het Buurser Zand staat nog een interessante open standerdkorenmolen uit 1802, die in 1921 uit Usselo naar hier werd overgebracht. Ten oosten van Buurse, vlak bij de Duitse grens, vindt men het landgoed Markslag; ook de Huurnenbulten en de Harmöllebulten zijn een bezoek waard. Op de eerste woensdag van september wordt in Haaksbergen gewoonlijk een schuttersfeest gehouden.

Delden

Delden is te vinden 5 km van Hengelo aan de weg naar Goor. Er zijn twee gemeenten: de eigenlijke woonkern Stad-Delden en het 8520 ha grote Ambt-Delden met een gespreide bebouwing en een aantal buurtschappen. In het stadje

HAAKSBERGEN. *329* Molen de Korenbloem, Fazantstraat 39. DELDEN. *330* t/m *335* Ned. hervormde kerk. *336* Huize Backenhagen.

337

338

staat een driebeukige hervormde kerk *(332)* met een zware, onvoltooide toren *(330)*. In de 12de eeuw stond hier een romaans basiliekje, waarvan nog enkele sporen zijn gebleven. De kerk is in de 15de en 16de eeuw in zijn huidige vorm opgetrokken. Aan de buitenzijde van het koor ziet men nog een 'hagioscoop' *(331)*, een doorgaans klein venster laag bij de grond, vermoedelijk om van buiten op het altaar te kunnen zien. Een glas-in-lood-venster uit het midden van de 17de eeuw *(333)* geeft het wapen van een adellijk geslacht, omringd door engelen. Een ander raam geeft het agrarisch karakter van de streek weer *(334)*. Een poortje van de kerk toont fraai smeedwerk *(335)*. Huize Backenhagen *(336)* aan de weg naar Almelo is een typisch Twentse have-zate uit 1848 met een achtkantige toren, waarin een klok is aangebracht. Het wit-gepleisterde huis heeft stallen en een koetshuis en wordt door twee grachten omringd. Een van de mooiste adellijke huizen van ons land is kasteel Twickel *(337)*. Het is een omgracht gebouw met rijke middenpartij in vroeg-renaissance-stijl, zandstenen arkels of erkers en een zware linkerhoektoren uit 1551. Op zuilen bij de ingang beelden van

339

DELDEN. *337, 338* Kasteel Twickel. *339* Kasteel Oosterhof (op het gemeentegebied van Rijssen). *340* Boerderij Rijksweg 3. *341* Boerderij Rijksweg 5, *342* Geveltop Rijksweg 3. *343* Tegeltableau in boer-derij Rijksweg 5.

340

341

Adam en Eva, erboven een wapensteen *(338)* met de Boom der Kennis,
daarboven nog een reliëf met de aanbid-
ding der Wijzen, dit alles ten slotte met
een ster bekroond. Er is veel aan dit
kasteel verbouwd en uitgebreid: de linker
achtervleugel werd in het begin van de
17de eeuw gebouwd en omstreeks 1692
geheel voltooid, de rechtervleugel met
traptorentje dateert uit 1847. Van de vele
behuizingen rond Delden is 'Oosterhof',
op het grondgebied van Rijssen, een
mooi voorbeeld *(339)*. Vooral in het
Ambt-Delden staan nog veel zuiver bewaarde Saksische boerderijen *(340, 341)*
soms met de karakteristieke waterputten.
Van het zgn. Posthuis wordt de gevel
door een sierlijk ornament met een kroon
en daaronder het jaartal afgesloten *(342)*.
Stad- en Ambt-Delden zijn door de
prachtige kastelen en landhuizen, de karakteristieke boerderijen en de aardige
buurtschappen een ideale vakantiebe-
stemming, te meer omdat er ook veel
wandelingen en fietstochten te maken
zijn. Hiervoor zijn routes afgebakend.

342

343

344

345

348

347

Borne

Borne ligt aan de grote weg van Almelo naar Hengelo. Belangrijk is de hervormde kerk *(346)*, die door de heer van havezate Weleveld aan de Luthersen geschonken werd. Men vindt in deze St.-Stefanuskerk een hagioscoop in de koorsluiting, tal van muurschilderingen uit 1500, een zandstenen preekstoel uit 1600 en verscheidene heel mooie grafzerken. In de omgeving staat een zeer zuiver kapelletje, romaans van stijl *(344)*. Vooral het venster boven de ingang duidt daarop. In de Weerselosestraat treft men nog twee 18de-eeuwse 'klopjeswoningen' aan *(347)*, waar vroeger ongehuwde katholieke vrouwen woonden, die als huishoudster bij de priesters in dienst waren. Het zgn. Bussenmakershuis, Ennekerdijk 17 *(349)*, werd in 1779 voor de linnenfabriqueur Jan Bussenmaker gebouwd. In de gevel liet hij zijn wapen in zandsteen aanbrengen. Een belangrijke attractie voor Borne vormen de folkloristische evenementen (o.a. midwinterhoornblazen).

BORNE. *344, 345* Kapel. *346* Ned. hervormde kerk. *347* Klopjeswoningen in de Weerselose Straat. *348* Geveltop. *349* Bussenmakershuis. HENGELO. *350* Boerderij. *351* Waterradmolen in Oele.

346

349

350

Hengelo

Hoewel een belangrijke centrum- en me-
taalstad van Twenthe, is Hengelo aan-
zienlijk minder Twents van karakter dan
bijv. Almelo en Enschede, doordat de industrie zeer veel werkkrachten van elders heeft aangetrokken. Wat echter bijzonder Twents is in Hengelo: het gelukkig samengaan van werk- en woonstad
en de omringende natuur. De naam komt
waarschijnlijk van Engelo ('eng' is een
hoger gelegen stuk bouwland; 'loo' is
een bosrijke laagte. De stad is ontstaan op
de grens tussen eng en loo, rondom een
kapelletje. Eerst was Hengelo het middelpunt van een uitgestrekte marke
(Woolde). In het begin van de vorige
eeuw ontwikkelde het zich tot een zelfstandige gemeenschap. Tot het einde van
de Tweede Wereldoorlog was het uiter-
lijke beeld van de plaats een kleine landelijke gemeente, vol fabrieken. Maar in de
loop van de laatste twintig jaar is alles
wat ooit werd verwoest door nieuwbouw
vervangen. Wat men nu ziet is een moderne binnenstad, die toch een zekere
intimiteit oproept. In de buurtschap
Oele staat de uit 1334 daterende waterradmolen 'de Olde Meule', die na een
brand geheel herbouwd is *(351)*. Wie

351

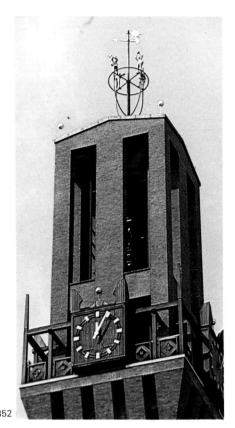

352

353

moderne architecten (o.a. prof. Berghoef, die het stadhuis bouwde) zeer harmonisch aangelegd, zodat geen dichtbebouwd centrum kon ontstaan. De invloed van bouwmeesters als Berghoef is van groot belang gebleken voor een stad als Hengelo, die door de vele en verscheidene industrieën zeer gemakkelijk 'doodgebouwd' had kunnen worden. Het nieuwe stadhuis vertoont Toscaanse invloeden; de ranke toren *(352)* doet in zijn moderne vorm denken aan die van Toscaanse steden als Florence. In een zandstenen ornament *(353)*, een wapenschild van de stad, zijn duidelijk agrarische symbolen te onderscheiden. Het stadhuis heeft een zeer fraai interieur: o.a. een burgerzaal met moderne kunstwerken. De stad ontwikkelde zich uit vier Twent-

se gehuchten: Hengelo, Driene, Oele en Woolde. In 1832 vond in Hotel de Zon de ontmoeting plaats tussen Willem de Clerq, secretaris van de Nederlandse Handel Mij. en Thomas Ainsworth, zoon van een Engelse katoenfabrikant. Deze ontmoeting is beslissend geweest voor de industrialisatie van geheel Twenthe en de snelle groei van Hengelo. De Tweede Wereldoorlog vernielde grote delen van de binnenstad. Herbouw was noodzakelijk, ook al omdat de industrieën behoefte hadden aan woonruimte voor hun arbeiders. De hervormde kerk *(354)* heeft nog de traditionele gevel met vier blanke zuilen; de St.-Rafaëlkerk *(356)* is een modern bouwwerk. Het verzetsmonument van beeldhouwer Pieter de Monchy, een hoge ranke klokke-

oude Saksische boerderijen wil zien, kan ze rond Hengelo vinden *(350)*. Ondanks de snelle groei van dorp tot stad bleven veel folkloristische gebruiken in stand: palmpasenoptochten, paasvuren, pinksterbruidjes, blazen op de midwinterhoorns enz. Hengelo's binnenstad is door

HENGELO. *352* Toren van het stadhuis. *353* Ornament aan het stadhuis. *354* Ned. hervormde kerk. *355* Klokkenpilaar bij de St.-Rafaëlkerk. *356* St.-Rafaëlkerk. ENSCHEDE. *357* St.-Jacobuskerk.

354

356

toror voor het stadhuis, zijn thema was 'sterven, geloof, vrijheid', vertoont eveneens vormen van onze tijd. De onmiddellijke omgeving van de stad biedt veel natuurschoon. Een veelbezocht ontspanningsoord is De Waarbeek, aan de Twekkelerweg. Ook in Hengelo wordt de folklore hoog gehouden: Palmpasenoptochten op de zondag voor Pasen, paasvuren op de avond van de eerste Paasdag, Pinksterbruidjes met Pinksteren, midwinterhoornblazen met Kerstmis.

Enschede

Enschede is de grootste en bedrijvigste stad van geheel Overijssel; typische 'textielstad' voor wie alleen de naam kent. De stad kreeg in 1325 al stadsrechten. Het was toen al een beschermde vestigingsplaats voor kooplieden en handwerkers. Ook hier bracht de komst van de Engelsman Ainsworth de grote ommekeer: door de mechanische textielindustrie in de eerste helft van de vorige eeuw breidde de gemeente zich snel uit. Op 7 mei

357

358

359

360

361

1862 ging een groot deel van de stad in vlammen op, maar de herbouw werd met kracht ter hand genomen. Bombardementen in de Tweede Wereldoorlog verwoestten enkele 19de-eeuwse arbeidersbuurten, maar deze ramp schiep de mogelijkheid een sanering uit te voeren. De hervormde kerk *(361, 362)* dateert uit de 13de eeuw. De grote brand in 1862 verwoestte echter het gebouw vrijwel geheel, zodat enkel de Romaanse noordmuur nog bewaard is gebleven. Bij de wederopbouw in 1865 heeft men de spitsboogvensters door brede rondboogvensters vervangen en er gebrandschilderde ramen in aangebracht, afkomstig uit de ateliers van Jan Schouten in Delft. De ingang *(363)* vertoont zuiltjes met bladkapitelen, waarop rondbogen. De toren bestond oorspronkelijk uit vijf geledingen, maar na de brand is daaraan vooral omstreeks 1926 nogal drastisch gerestaureerd. Men ontdekte toen o.a. op de eerste verdieping sporen van een torenkapel met een kleine altaarnis, die

362

363

vermoedelijk bestemd was voor de 'eige-
naar', in dit geval de Proost van het
kapittel van St.-Pieter in Utrecht. De St.-
Jacobuskerk *(357, 359, 360)* daterend uit
1933, is ontworpen door de architecten
H.W. Valk en Joh. Sluymer en voorzien
van een gebrandschilderd raam van de
Limburgse kunstenaar Charles Eyck
(358) en kruiswegstaties van diens leerling Jacques van Rijn. De St.-Jaco-
buskerk bevat ook nog een piëta van
de beeldhouwer Mari Andriessen. De
groei van Enschede in de loop der eeuwen valt ook nog af te lezen aan de
harmonische gevel van het zgn. Elderinkshuis, Gronausestraat 19 *(364)*.
Naast de katholieke St.-Jacobuskerk uit
1933 bezit Enschede nog een belangrijk
bouwwerk uit vrijwel dezelfde periode.
Het is de synagoge in de Prinsenstraat

ENSCHEDE. *358*, *359* Interieur van de St.-
Jacobuskerk. *360* Zijingang van de St.-
Jacobuskerk. *361* Toren van de Ned. hervormde
kerk. *362* Ned. hervormde kerk. *363* Poort van de
Ned. hervormde kerk. *364* Elderinkshuis.

364

(365), ontworpen door de architect De Bazel en in 1928 voltooid door de architecten Smits en Van de Linde. De koperen koepels geven het bouwwerk een sterk oosters karakter; het interieur, zeldzaam rijk, maakt deze synagoge tot een der mooiste van Europa. Belangrijk voor het eigentijdse Enschede zijn nog het tussen 1930 en 1933 gebouwde stadhuis, de Technische Hogeschool en de diverse musea en galeries, die van Enschede een cultureel centrum maken. Vermeld moet worden het Rijksmuseum Twenthe aan de Lasondersingel *(366)*. Men vindt er schilderkunst van de 15de tot en met de 20ste eeuw, o.a. werken van Holbein, Brueghel en Rembrandt. Ook de rijke collectie van de Oudheidkamer Twente is er ondergebracht, die vooral veel door opgravingen verworven voorwerpen omvat. In het Volkspark ten slotte staat Mari Andriessens Oorlogsmonument, dat op 4 mei 1953 werd onthuld *(367)*. Het verdient aanbeveling de moderne buitenwijken van Enschede te bezoeken, en vooral ook de hogeschoolcampus van Drienerlo. In de directe omgeving van de stad vindt men een

365

prachtig afwisselend landschap met ongerept natuurschoon. Wandelingen kan men maken in het Blijdensteinpark (oude buitenplaats op de hoek van Gronausestraat en Hogelandsingel), de Bultserve in Glanerbrug, het G.J. van Heekpark (Hengelosestraat hoek Boddenkampsingel) en het Abraham Ledeboerpark.

ENSCHEDE. *365* Synagoge. *366* Rijksmuseum Twenthe. *367* Oorlogsmonument in het Volkspark. LOSSER. *368* Bakspieker De Lutte. *369* Vakwerkboerderij Austie in de buurtschap Beuningen. *370* Dorpsgezicht. *371* Huis aan De Markt. *372* Martinustoren. *373* Waterput.

366

367

368

369

Losser

Losser, aan de Dinkel gelegen, dicht bij de Duitse grens, heeft een schitterende omgeving met tal van karakteristieke, geheel in het landschap passende boerderijen: o.a. de vakwerkboerderij Austie *(369)* en de bakspieker De Lutte *(368)*. Midden in het dorp staat de stoere 14de-eeuwse zadeldaktoren, overblijfsel van de in 1903 afgebroken Martinikerk *(372)*. De katholieke kerk van Maria-Geboorte bevat een in hout gesneden apostelgroep uit de 16de eeuw. Vermelding verdienen natuurreservaten als de Lutte,

372

370

371

373

Duivelshof en de Krabbe, die prachtige wandel- en fietstochten mogelijk maken. De gemeente is verdeeld in het hoofddorp Losser, de kerkdorpen Overdinkel, De Lutte en Beuningen en enkele buurtschappen.

Ondanks vernieuwingen in de laatste tijd heeft Losser zijn typische dorpskarakter behouden. Het heeft een prachtige omgeving: het idyllische Dinkellandschap, het Lutterzand, de Losserse Zandbergen, de duinen en zandverstuivingen, het Duivendal, de Austieberg en de Paasberg.

Oldenzaal

Oldenzaal, in oostelijk Twente, is de oudste stad van dit gebied. St.-Plechelmus verkondigde er volgens sommigen in de 8ste eeuw het christendom.

In 893 komt Oldenzaal in kronieken voor als 'Aldenselen'. Het bezit reeds negen eeuwen markt- en zeven eeuwen stadsrechten. Branden in 1492 en 1520 vernietigden veel van de oude stad en ook de oudste archieven. Zeker is wel dat in 954 een kapittel werd gesticht en dat er toen een aan St.-Plechelmus gewijde basiliek stond. De Plechelmuskerk *(376)* is, naast de abdijkerk van Rolduc, het enig goed-

374

375

bewaarde voorbeeld in Nederland van een volgens vast plan gebouwde Romaanse basiliek. De toren *(382)* is overal in de stad zichtbaar. Voor de bouw werd Bentheimer zandsteen gebruikt. In 1480 werden zuiderzijbeuk en koorapsis vervangen door gotische delen. De zware 13de-eeuwse toren vertoont in details de overgangsvormen van de romano-gotiek. Deze toren heeft de grootste klok-

377
378
379

380

kenkamer van Europa met een prachtig carillon. De hoofdingang heeft twee deuren *(383)*, waarboven in nissen de beelden van drie heiligen staan *(377, 378, 379)*. Het beeld van St.-Plechelmus *(375)*, patroon van kerk en stad, staat zeer monumentaal voor de basiliek. Er is een rijke schatkamer met o.a. een verguld zilveren reliekhouder van de heilige, monstransen, kelken, kruisen enz. Gebrandschilderde ramen *(380)* geven aan het interieur iets mysterieus. De grote kruisgewelven dateren uit de tiende eeuw. Apart

is de behandeling der kleine apsiden, Rijnlands van architectuur, hoewel de kerk verder Westfaals van stijl is. Op de hoek van het koor is een uit twee verdiepingen bestaande kapel uitgebouwd. Het interieur van de St.-Plechelmus is een bezoek zeker waard. Opvallend is de rijkbewerkte preekstoel *(381)*. Deze werd naar Oldenzaals basiliek overgebracht uit het klooster van de Broeders van het Gemene Leven in het Duitse

OLDENZAAL. *374* t/m *380* Plechelmuskerk.

381

Frenswegen, dat even over de grens in het Bentheimse land ligt. Een detail toont overduidelijk de barokke stijl van deze preekstoel (374). Aan de Marktstraat is in het 17de-eeuwse Palthehuis (385) de Oldenzaalse Oudheidskamer ingericht. De rijke versiering van de gevel en de statige ingang (384) geven duidelijk aan hoe groot de welvaart van Oldenzaal in die eeuwen moet zijn geweest. Ook de gevel van het Michgoriushuis is daar een bewijs van (388). Vooral de geveltop (386) en de fraai bewerkte voordeur (387) tonen met hoeveel trots en ook wel wat ijdelheid de burgers uit de Gouden Eeuw hun voorspoed bekendheid wensten te geven. Toch heeft de stad zijn deel gehad van de oorlogen, zoals tussen de Geldersen en de bisschop van Utrecht met een beleg in 1510. Ook in de Spaanse tijd werd de stad door vijandelijke troepen bezet. Nu is Oldenzaal een stad die, te midden van het prachtige Twentse landschap, ook met staaltjes van moderne architectuur (stadhuis, kinderdagverblijf, diverse soorten woonbebouwing) een eigentijdse aansluiting zoekt op het verleden. Waar eens de stadswallen liepen, is nu een singelpark aangelegd. Merkwaardig is dat het merendeels katholieke centrum Oldenzaal, zo hoog boven de grote rivieren, nog ieder jaar carnaval viert.

382

OLDENZAAL. *381* Preekstoel in de Plechelmuskerk. *382* Gezicht op de Plechelmuskerk. *383* Hoofdingang van de Plechelmuskerk. *384* Ingang van het Palthehuis. *385* Palthehuis. *386* t/m *388* Michgoriushuis.

383

384

386

387

385

388

390

Weerselo

Weerselo, een typisch Twentse platte-landsgemeente met ongeveer 9000 inwo-ners, ligt 7 km ten noordoosten van Oldenzaal en 7 km ten zuiden van Oot-marsum. Zoals vele stadjes in dit 'Oversticht', waarover de bisschoppen van Utrecht en Bentheim — toen niet alleen geestelijke maar ook wereldlijke heersers — eeuwig ruzie maakten, is Weerselo in 1142 ontstaan door de bouw van een benedictijner abdij, die later veranderde in een Stift voor wereldlijke kanunnikessen. In 1810 werden de kloos-tergronden verkocht. Het huidige kerkje *(391)*, waar nu de hervormden kerkgaan, is nog een overblijfsel van de vroegere abdijkerk, die zich vroeger alleen veel verder westwaarts uitstrekte. De bouw-datum valt rond 1400, maar duidelijk is veel ouder muurwerk gebruikt, omdat de abdij al in 1200 bestond. De vroegere pastorie uit 1721 *(389)* wordt nu als conferentieoord gebruikt. In Saasveld, een van Weerselo's buurtschappen, staat op een heuvel een molen *(390)*: een ronde bovenkruier zonder stelling uit 1870. Het nabijgelegen Rossum is een bezoek meer dan waard door de uit 1200 daterende havezate 't Everlo' *(392)*.

Denekamp

Denekamp ligt 9 km ten oosten van Ootmarsum. Dit deel van Twenthe heeft een zeer afwisselend landschap, vooral door de kronkelende Dinkel, donkere bossen en Saksische boerderijen. In het dorp domineert de zware 15de-eeuwse

389

WEERSELO. *389* Huis bij het Stiftkerkje. *390* Molen. *391* Stiftkerkje. *392* Havezate 't Everlo in Rossum. DENEKAMP. *393, 394* Glas-in-lood-ramen in de r.-k. kerk. *395* R.-k. kerk.

391

393

394

392   395

396

397

398

399

toren van de katholieke kerk *(395)*. De kerk zelf werd al in de 13de eeuw uit Bentheimersteen opgebouwd. Het interieur is zeer fraai met de 13de-eeuwse triomfboog, in stijl liggende tussen romaans en gotisch. De glas-in-lood-ramen in de St.-Nicolaaskerk *(393, 394)* zijn bij latere restauratie geplaatst. Het Denekampse is bij uitstek een gebied voor eerbiedwaardige havezaten, vaak de voorlopers van adellijke behuizingen. Het kasteel Singraven is daar een voorbeeld van *(402)*. Als havezate komt het al in 1382 in documenten voor. Daarna is er aan gewijzigd, tot de voorname vorm die het nu heeft is ontstaan. De toren heeft een versiering van Ionische pilasters en werd rond 1660 gebouwd. Het Huis Brecklenkamp stamt ook al minstens uit 1392. Wat er nu nog van staat *(396)*, het

zgn. Jonkershuis, werd in 1635 gebouwd en in latere tijd gewijzigd en aangepast. Men verwerkte graag zijn familiewapens in de gevelversiering *(398)*; het door zijn eenvoud en volmaakte harmonie charmante zijpoortje *(399)* heeft niets kasteelachtigs. De Dinkel was ideaal als bewegingsmotor voor watermolens. Dicht bij het deftige Singraven staat nog een wonder van vakmanschap: een onderslag-watermolen; links voor koren en olie, rechts om hout te zagen *(397)*. Al in 1448 wordt hij genoemd; men herbouwde hem in 1544, in de 17de eeuw en nog eens in 1922.

Meindert Hobbema heeft er twee doeken geschilderd, een hangt er nu in het Louvre te Parijs, de ander in de National Gallery in Londen.

DENEKAMP. *396, 398, 399* Havezate Brecklenkamp. *397* Waterradmolen. *400 t/m 402* Kasteel Singraven.

REGISTER